D0919195

JORGE GUILLÉN

CÁNTICO

PRIMERA EDICIÓN COMPLETA

EDITORIAL SUDAMERICANA
BUENOS AIRES

PRIMERA EDICIÓN (75 POESÍAS), REVISTA DE OCCIDENTE, MADRID, 1928
SEGUNDA EDICIÓN (125 POESÍAS), CRUZ Y RAYA, MADRID, 1936
TERCERA EDICIÓN (270 POESÍAS), LITORAL, MÉXICO, 1945
CUARTA EDICIÓN, PRIMERA COMPLETA (334 POESÍAS),
EDITORIAL SUDAMERICANA, BUENOS AIRES, 1950

IMPRESO EN LA ARGENTINA

CÁNTICO

FE DE VIDA

Tregastel, Bretaña

1919-1950

Wellesley, Massachusetts

DEDICATORIA INICIAL

Con voluntad placentera.

JORGE MANRIQUE

Que el puro resplandor serena el viento.

GARCILASO

A MI MADRE,
EN SU CIELO.

A ELLA,
QUE MI SER, MI VIVIR Y MI LENGUAJE
ME REGALÓ,
EL LENGUAJE QUE DICE
AHORA
CON QUÉ VOLUNTAD PLACENTERA
CONSIENTO EN MI VIVIR,
CON QUÉ FIDELIDAD DE CRIATURA
HUMILDEMENTE ACORDE
ME SIENTO SER,
A ELLA,
QUE AFIRMÁNDOME YA EN AMOR
Y ADMIRACIÓN
DESCUBRIÓ MI DESTINO,
INVOCAN LAS PALABRAS DE ESTE CÁNTICO.

1

AL AIRE DE TU VUELO

Por el otero asoma
Al aire de tu vuelo

SAN JUAN DE LA CRUZ

I

MÁS ALLÁ

I

(El alma vuelve al cuerpo,
Se dirige a los ojos
Y choca.) —¡Luz! Me invade
Todo mi ser. ¡Asombro!

Intacto aún, enorme,
Rodea el tiempo... Ruidos
Irrumpen. ¡Cómo saltan
Sobre los amarillos

Todavía no agudos
De un sol hecho ternura
De rayo alboreado
Para estancia difusa,

Mientras van presentándose
Todas las consistencias
Que al disponerse en cosas
Me limitan, me centran!

¿Hubo un caos? Muy lejos
De su origen, me brinda
Por entre hervor de luz
Frescura en chispas. ¡Día!

Una seguridad
Se extiende, cunde, manda.
El esplendor aploma
La insinuada mañana.

Y la mañana pesa,
Vibra sobre mis ojos,
Que volverán a ver
Lo extraordinario: todo.

Todo está concentrado
Por siglos de raíz
Dentro de este minuto,
Eterno y para mí.

Y sobre los instantes
Que pasan de continuo
Voy salvando el presente,
Eternidad en vilo.

Corre la sangre, corre
Con fatal avidez.
A ciegas acumulo
Destino: quiero ser.

Ser, nada más. Y basta.
Es la absoluta dicha.
¡Con la esencia en silencio
Tanto se identifica!

¡Al azar de las suertes
Únicas de un tropel
Surgir entre los siglos,
Alzarse con el ser,

Y a la fuerza fundirse
Con la sonoridad
Más tenaz: sí, sí, sí,
La palabra del mar!

Todo me comunica,
Vencedor, hecho mundo,
Su brío para ser
De veras real, en triunfo.

Soy, más, estoy. Respiro.
Lo profundo es el aire.
La realidad me inventa,
Soy su leyenda. ¡Salve!

II

No, no sueño. Vigor
De creación concluye
Su paraíso aquí:
Penumbra de costumbre.

Y este ser implacable
Que se me impone ahora
De nuevo —vaguedad
Resolviéndose en forma

De variación de almohada,
En blancura de lienzo,
En mano sobre embozo,
En el tendido cuerpo

Que aun recuerda los astros
Y gravita bien— este
Ser, avasallador
Universal, mantiene

También su plenitud
En lo desconocido:
Un más allá de veras
Misterioso, realísimo.

III

¡Más allá! Cerca a veces,
Muy cerca, familiar,
Alude a unos enigmas.
Corteses, ahí están.

Irreductibles, pero
Largos, anchos, profundos
Enigmas —en sus masas.
Yo los toco, los uso.

Hacia mi compañía
La habitación converge.
¡Qué de objetos! Nombrados,
Se allanan a la mente.

Enigmas son y aquí
Viven para mi ayuda,
Amables a través
De cuanto me circunda

Sin cesar con la móvil
Trabazón de unos vínculos
Que a cada instante acaban
De cerrar su equilibrio.

IV

El balcón, los cristales,
Unos libros, la mesa.
¿Nada más esto? Sí,
Maravillas concretas.

Material jubiloso
Convierte en superficie
Manifiesta a sus átomos
Tristes, siempre invisibles.

Y por un filo escueto,
O al amor de una curva
De asa, la energía
De plenitud actúa.

¡Energía o su gloria!
En mi dominio luce
Sin escándalo dentro
De lo tan real, hoy lunes.

Y ágil, humildemente,
La materia apercibe
Gracia de Aparición:
Esto es cal, esto es mimbre.

V

Por aquella pared,
Bajo un sol que derrama,
Dora y sombrea claros
Caldeados, la calma

Soleada varía.
Sonreído va el sol
Por la pared. ¡Gozosa
Materia en relación!

Y mientras, lo más alto
De un árbol —hoja a hoja
Soleándose, dándose,
Todo actual— me enamora.

Errante en el verdor
Un aroma presiento,
Que me regalará
Su calidad: lo ajeno,

Lo tan ajeno que es
Allá en sí mismo. ¡Dádiva
De un mundo irremplazable:
Voy por él a mi alma!

VI

¡Oh perfección: dependo
Del total más allá,
Dependo de las cosas!
¡Sin mí son y ya están

Proponiendo un volumen
Que ni soñó la mano,
Feliz de resolver
Una sorpresa en acto!

¡Dependo en alegría
De un cristal de balcón,
De ese lustre que ofrece
Lo ansiado a su raptor,

Y es de veras atmósfera
Diáfana de mañana,
Un alero, tejados,
Nubes allí, distancias!

Suena a orilla de abril
El gorjeo esparcido
Por entre los follajes
Frágiles. (Hay rocío.)

Pero el día al fin logra
Rotundidad humana
De edificio y refiere
Su fuerza a mi morada.

Así va concertando,
Trayendo lejanías,
Que al balcón por países
De tránsito deslizan.

Nunca separa el cielo.
Ese cielo de ahora
—Aire que yo respiro—
De planeta me colma.

¿Dónde extraviarse, dónde?
Mi centro es este punto:
Cualquiera. ¡Tan plenario
Siempre me aguarda el mundo!

Una tranquilidad
De afirmación constante
Guía a todos los seres,
Que entre tantos enlaces

Universales, presos
En la jornada eterna,
Bajo el sol quieren ser
Y a su querer se entregan

Fatalmente, dichosos
Con la tierra y el mar
De alzarse a lo infinito:
Un rayo de sol más.

Es la luz del primer
Vergel, y aun fulge aquí,
Ante mi faz, sobre esa
Flor, en ese jardín.

Y con empuje henchido
De afluencias amantes
Se ahinca en el sagrado
Presente perdurable

Toda la creación,
Que al despertarse un hombre
Lanza la soledad
A un tumulto de acordes.

LOS NOMBRES

Albor. El horizonte
Entreabre sus pestañas
Y empieza a ver. ¿Qué? Nombres.
Están sobre la pátina

De las cosas. La rosa
Se llama todavía
Hoy rosa, y la memoria
De su tránsito, prisa,

Prisa de vivir más.
¡A largo amor nos alce
Esa pujanza agraz
Del Instante, tan ágil

Que en llegando a su meta
Corre a imponer Después!
¡Alerta, alerta, alerta,
Yo seré, yo seré!

¿Y las rosas? Pestañas
Cerradas: horizonte
Final. ¿Acaso nada?
Pero quedan los nombres.

NIÑO

Claridad de corriente,
Círculos de la rosa,
Enigmas de la nieve:
Aurora y playa en conchas.

Máquina turbulenta,
Alegrías de luna
Con vigor de paciencia:
Sal de la onda bruta.

Instante sin historia,
Tercamente colmado
De mitos entre cosas:
Mar sólo con sus pájaros.

Si rica tanta gracia,
Tan sólo gracia, siempre
Total en la mirada:
Mar, unidad presente.

Poeta de los juegos
Puros sin intervalos,
Divino, sin ingenio:
¡El mar, el mar intacto!

TIEMPO PERDIDO EN LA ORILLA

Se ofrece, se extiende,
Cunde en torno el día
Tangible. ¡De nuevo
Me regala sillas!

No. Mejor a pie
Veré los colores
Del verano mío,
Que aun no me conoce.

Por de pronto, bajo
Mis manos vacías,
Un presentimiento
De azul se desliza,

Azul de otra infancia
Que tendrá unas nubes
Para perseguir
A muchos azules,

Posibles a veces
Dentro de una quinta
De amigos, muy cerca,
—¡También será mía!—

Con facilidades
Por arroyos, locos
De los regocijos
Que emergen de agosto,

Y sombras de dos
En dos, indistintas
Sobre las riberas
Que a un gris verde invitan.

Jugando a las horas
Que se juegan, entre
Todos los azares,
¿Qué amor no aparece?

¡Sálvame así, tiempo
Perdido en la orilla
Libre, tanto amor,
Tanto azar, las islas!

ESFERA TERRESTE

¿Ni el raptor de las ondas
Ni el amoroso náufrago
Te aliviarán, mar sabio
Que entre curvas te combas?

Incorruptibles curvas
Sobre el azul perfecto,
Que niega a los deseos
La aparición de espuma.

¡Forma del mediodía,
Qué universal! Las ondas
Refulgentes desdoblan
La luz en luz y brisa.

Y la brisa resbala
—Infante marinero,
Rumbo sí, mas no peso—
Entre un rigor de rayas

Que al mediodía ciñen
De exactitud. ¡Desierta
Refulgencia! La esfera,
Tan abstracta, se aflige.

EL PRÓLOGO

Otra vez el día
Trajinante debe
Pasar por el puente
Previo de la prisa,

Que entre tantos riscos
—¡Oh recta feliz!—
Conduce hasta el quid
Del propio equilibrio.

¡Ay, cuántos rodeos
Rizan la artimaña
Que todo lo salva!
¿Pero mi secreto?

Mi secreto inhábil
Entre los relojes
Calla tan inmóvil
Que apenas si late.

No importa. ¡Perezcan
Los días en prólogo!
Buen prólogo: todo,
Todo hacia el poema.

Hay robles, hay nogales,
Olmos también, castaños.
Entre las muchas frondas
El tiempo aísla prados.

Troncos ya no. Son tablas.
Renacen las maderas.
...Y una pared, un porche.
Ya es un pueblo: se esfuerza.

Colorines. Reluce,
Desordenando el día
Más luminosamente,
La terca tentativa.

Casas, al fin, despuntan
Por entre unos verdores
Sujetos a un dibujo
Sumiso. Quiere el hombre.

Las calles —rectilíneas
Y tan silvestres— quedan
Acogiendo aquel ansia
De historia con su selva.

¡Oh codicia elegante!
El cristal de las lunas
No deja al maniquí
Perder su compostura.

Todo está concebido.
¡Cuidado! La persona
Se detiene en un borde,
Con los demás a solas.

Y se desgarra el tiempo...
Es el pitido súbito
De un tren que allí, tan próximo,
Precipita al futuro.

Fluyan, fluyan las horas:
Gran carretera. Van
Manando ya las fuentes
De la velocidad.

Los follajes divisan
A los atareados,
En su esfuerzo perdidos,
Oscuros bajo el árbol.

Un rumor. Son las hojas
Gratas, profusas, cómplices.
Los tejados contemplan
Tiernamente su bosque.

RELIEVES

Rendición: relieves.
¡Qué míos, qué puros
Todos! Uno a uno
Resaltan, ascienden.

Castillo en la cima,
Soto, raso, era,
Resol en la aldea,
Soledad, ermita.

En el río, niña,
Niña el agua verde,
Señorón el puente,
Y la aceña en ruinas.

La tarde caliza
Que fué polvareda
Se extrema, se entrega.
Diáfanas vistillas.

¡Oh altura envolvente!
Rondan los vencejos
Sin cesar. ¡Oh cercos!
Posesión: relieves.

ESCALAS

Cimborrios y torres
Oponen al viento
La quietud en pleno
De sus sacras moles.

Pero el sol de un álamo
—¡La tarde es tan alta!—
Ofrece una escala
Cortés a lo raso.

¡Esa arena rosa
Y marfil perdida,
Fina en demasía,
Bajo tantas hojas

Perdidas! ¿El viento
Busca una verdad?
Las esparcirá,
Tenderá a los cielos

De luz sin reposo
La escala de un pío,
Y ángeles en circo
Saltarán cimborrios.

EL MANANTIAL

Mirad bien. ¡Ahora!
Blancuras en curva
Triunfalmente una
—Frescor hacia forma—

Guían su equilibrio
Por entre el tumulto
—Pródigo, futuro—
De un caos ya vivo.

El agua desnuda
Se desnuda más.
¡Más, más, más! Carnal,
Se ahonda, se apura.

¡Más, más! Por fin... ¡Viva!
Manantial, doncella:
Escorzo de piernas,
Tornasol de guijas.

Y emerge —compacta
Del río que pudo
Ser, esbelto y curvo—
Toda la muchacha.

LOS AMANTES

Tallos. Soledades
Ligeras. ¿Balcones
En volandas? —Montes,
Bosques, aves, aires.

Tanto, tanto espacio
Ciñe de presencia
Móvil de planeta
Los tercos abrazos.

¡Gozos, masas, gozos,
Masas, plenitud,
Atónita luz
Y rojos absortos!

¿Y el día? —Lo plano
Del cristal. La estancia
Se ahonda, callada.
Balcones en blanco.

Sólo, Amor, tú mismo,
Tumba. Nada, nadie,
Tumba. Nada, nadie,
Pero... —¿Tú conmigo?

CON NIEVE O SIN NIEVE

Ven a ver. La nieve
Cae más despacio.
El copo en desorden
Se demora, blando.

Quede en su blancura
La ciudad igual.
Para mí varía
Tu vivacidad.

Ya en este balcón
Sonríe esperando,
Ágil, pulcro, joven,
El frío más claro.

¡Diáfana alianza!
Frío con cristal.
Los dos, trasparentes,
Hacia la verdad.

Desnuda, la vida
Revela brillando
Su candor, que es nieve:
A solas un astro.

¿El mundo es inmenso?
Yo contigo aquí.
En tu abrazo gozo
Del sumo confín.

Mi fortuna quiere
Guardarme soñado
Por los ojos míos
Tu amor inmediato.

¡Gracias! A soñar
Tanto o más que ayer
Con tu acogimiento
Como una merced.

La nieve exquisita
Se ofrece. Regalo
Nunca merecido:
Otro mundo intacto.

El cielo da cielos.
¡Incesante don!
¿Nieve? Yo la adoro.
Nos junta a los dos.

¡Nevadas cornisas,
Posibles palacios,
Tu amor en el centro,
Y el mundo nevado!

NATURALEZA VIVA

¡Tablero de la mesa
Que, tan exactamente
Raso nivel, mantiene
Resuelto en una idea

Su plano: puro, sabio,
Mental para los ojos
Mentales! Un aplomo,
Mientras, requiere al tacto,

Que palpa y reconoce
Cómo el plano gravita
Con pesadumbre rica
De leña, tronco, bosque

De nogal. ¡El nogal
Confiado a sus nudos
Y vetas, a su mucho
Tiempo de potestad

Reconcentrada en este
Vigor inmóvil, hecho
Materia de tablero
Siempre, siempre silvestre!

LOS TRES TIEMPOS

De pronto, la tarde
Vibró como aquellas
De entonces —¿te acuerdas?—
Íntimas y grandes.

Era aquel aroma
De Mayo y de Junio
Con favores juntos
De flor y de fronda.

Fijo en el recuerdo,
Vi cómo defiendes,
Corazón ausente
Del sol, tiempo eterno.

Las rosas gozadas
Elevan tu encanto,
Sin cesar en alto
Rapto hacia mañana.

De nuevo impacientes,
Los goces de ayer
En labios con sed
Van por Hoy a Siempre.

TODO EN LA TARDE

I

¡Nubes! Anchas y bajas,
Ofrecidas, esbozan
A lo marino espuma
Con ambición de pompa,

Una pompa de blancos
Extinguidos en grises
Que quieren conseguir
Los contornos carmines.

Flota una esplendidez
Febril, profundizada
Por vistillas de tejas:
Tejas de turba cálida.

¡Ese atropello abajo!
El color viene y va,
Tropel regala, pide
Tropeles. Hay ciudad.

Locuaces, los anuncios
Atajan al gentío.
Escándalos benévolos
Cercan al distraído.

II

¿Y el silencio? No puede
Valer, estar a plomo.
¡Tantos colores chocan
Con un rumor tan bronco!

Gran rumor. Se embarullan
Las pisadas, los gritos
Que deben de ser diálogos,
Las músicas ya ruidos,

Y la velocidad
Disparada en portentos
Sumisos al amor,
Al candor, a los sueños,

Y el incesante arrastre
De los muchos trabajos
Que por dentro murmuran
Crujidos derrumbados.

¡Trepidación! Monótona,
Continua, propagada,
Precipita galopes
—Sin cuerpos ya— de máquinas

Invisibles, a ciegas
Calientes, animales,
Que no paran jamás:
Venas del tiempo, laten.

Discordes los impulsos
De un solo frenesí
Desembocan en una
Prisa por ser feliz.

Se asoma al panorama
La soledad de alguien.
¡Bocinas huyen! Queda
Lejos, grata, la calle.

Como si hubiera a solas
En el tumulto campo,
Follajes hay que salvan
Su paz entre sus pájaros.

Van poco a poco aislándose,
Dorándose las torres.
Atrevida una estrella
Luce a solas. ¿Entonces?

III

Entonces se ensordecen
Las sombras por los muros,
De su destino henchidos:
Muros en el crepúsculo.

Sólo al fin, en la tarde
Venida a un amarillo
Propenso ya a los rojos
Que adelantan estío,

Cristal no dejan ver
Los balcones al sol.
Láminas antes diáfanas
Acumulan fulgor,

Tan favorable así,
Tan rico de reflejos
Que inicia en los balcones
La actualidad del cielo,

Pleno. Revelación:
Una gloria prorrumpe,
Se revela en su coro.
Carmines cantan. ¡Nubes!

IMPACIENTE VIVIR

Salta por el asfalto,
Frente al anochecer,
El ventarrón de marzo,
Tan duro que se ve.

Las esquinas aguzan
Su coraje incisivo.
Tiemblan desgarraduras
De viento y sol. ¿Gemidos?

Una lid: cuatro calles.
La luz bamboleada,
Luz apenas, retrae
Las figuras a manchas.

Da el viento anochecido
Contra esquina y sillar.
Marzo arrecia. ¿Granito?
Él lo acometerá.

Entonces, por la piedra
Rebotando, se yergue
Con más gana la fuerza
Del vivir impaciente.

ADVENIMIENTO

¡Oh luna, cuánto abril,
Qué vasto y dulce el aire!
Todo lo que perdí
Volverá con las aves.

Sí, con las avecillas
Que en coro de alborada
Pían y pían, pían
Sin designio de gracia.

La luna está muy cerca,
Quieta en el aire nuestro.
El que yo fuí me espera
Bajo mis pensamientos.

Cantará el ruiseñor
En la cima del ansia.
Arrebol, arrebol
Entre el cielo y las auras.

¿Y se perdió aquel tiempo
Que yo perdí? La mano
Dispone, dios ligero,
De esta luna sin año.

II

ALBORADA

Un claror, sonoro ya,
    Se dispara
Levantando los albores
    En bandadas.

Harto el desvelo, por fin,
    De mi alma,
Se abate sobre sus propias
    Almohadas.

Siento el mundo bajo el día,
    Que me embarga
Los párpados. Bien me esconden
    Las pestañas.

Ese piar renaciente
    De las ramas
Da a mi sueño su envoltura
    Buena, blanda.

Una luz de patrocinio
    Me resguarda.
Duerma el que en su sol confía.
    ¡La alborada!

SABOR A VIDA

Hay ya cielo por el aire
    Que se respira.
Respiro, floto en venturas,
    Por alegrías.

Las alegrías de un hombre
Se ahondan fuera esparcidas.
Yo soy feliz en los árboles,
En el calor, en la umbría.

¿Aventuras? No las caza
    Mi cacería.
Tengo con el mismo sol
    La eterna cita.

¡Actualidad! Tan fugaz
En su cogollo y su miga,
Regala a mi lentitud
El sumo sabor a vida.

¡Lenta el alma, lentos pasos
    En compañía!
¡La gloria posible nunca,
    Nunca abolida!

JARDÍN EN MEDIO

Para Emilio

claridad caliente y cincelada.
GABRIEL MIRÓ

Azoteas, torres, cúpulas
Aproximan los deseos
De las calles y las plazas
A su cielo.

Vacación.
¡Nubes, nubes de bureo!
Libres, lentas,
Varían, vagan sin término.

Luminoso el redondel,
La ciudad confusa dentro,
Mayo sin prisa por Junio
Se abandona a su entretiempo.

Buen desorden:
En el rumor un concierto
Se insinúa
Silencioso. ¡Dulce estrépito!

Cercada por el bullicio,
De seguro no está lejos
De nadie la realidad
De un portento.

¡Oh soleada clausura!
Recoleto
Queda todo frente al sol,
Bajo el viento.

Hora en limpio.
La fila de los abetos
Traza al fondo
Su horizonte verdinegro.

¿Un mirlo será quien pía?
El gorjeo
Surge de unas hojas tiernas
De revuelo.

Se preguntan, se responden
Ya dos fresnos.
Buches se adivinan fatuos,
Grosezuelos.

No faltan ni mariposas
Tendiendo sus aleteos
Al azar sobre las trémulas
Corolas de los reflejos.

Entre la luz y el olor
Pasa goloso el insecto
Con afán desordenado
Que se ahonda en embeleso.

Hasta margaritas hay
Distantes, allá en su reino,
Y algún botón amarillo,
Feliz de ser tan concreto.

Cabrillea un agua viva,
Rayo a rayo sonriendo.
La sombra sobre las márgenes
Se difunde como oreo.

¡Qué buen calor! Un ambiente
        De secreto,
Banco, follaje, penumbra,
        Sol inmenso.

¿Sobrará tanta belleza?
        Yo la quiero.
Basta acaso que un ocioso
        Goce, lento.

        Paraíso:
Jardín, una paz sin dueño,
        Y algún hombre
Con su minuto sereno.

Tanta comunicación
Sin descanso entre los juegos
Más remotos me regala
Mucho más de cuanto espero.

¡Ancho espacio libre, césped,
Olmo a solas en el centro,
Con ahinco poseído
        Mi silencio!

Mas. . . ¿Otra vez? He ahí,
        Recompuesto,
El discorde mundo en torno,
        Tan ajeno.

        Por el aire
Flotan, de un rumor suspensos,
        Muchos cruces
De otras voces y otros genios.

Ventura, ventura mínima:
¿Quién te arrancará del hecho
Mismo de vivir? ¡Vivir
Aún y el morir tan cierto!

He ahí la realidad
Revuelta: fárrago acerbo.
¿Y el jardín? ¿Dónde un jardín?
        —En el medio.

ARRANQUES

POR EL AGUA

Entran los pies en el mar,
 Que ya ondula
Chispeando: sobre el agua,
 Luz más rubia.

Precipitándose corre
Con tumulto de roturas
Una alegría que cae
De bruces sobre la espuma.

El tan niño hacia su voz
 Se aúpa,
Se multiplica, resalta,
 Onda aguda.

Rizándose va y creciendo
Con ondulación de suma
Todo un caos de salud
Que se crea ya su curva.

Arrollador griterío,
 Absoluta
Vida sin sombra ni término:
 Criatura.

POR LA HIERBA

Se arroja el niño a la hierba,
    Que es un mar,
Y por lo fresco y lo blando
    Nada ya.

(¿Hacia dónde tantas ondas
    Bajo el sol?)
—Dame el campo con el cielo,
    Damelos.

¡Cuánto mar por esa hierba,
    Ah, ah, ah!
¡Para todos ahora mismo
    Quiero más!

—Dame el campo con el cielo,
    Damelos.
(¿Hacia dónde tantas ondas
    Bajo el sol?)

La hierba es un oleaje
    De verdad.
Entre las manos del niño
    Pasa el mar.

JUEGOS

TRES NUBES

Son tres nubes y están solas
    En el centro
Del tórrido azul, a julio
    Resistiendo.

Y los tres islotes blancos,
Nítidos islotes frescos,
Suavizan la soledad
Severa del firmamento.

Esas anchas nubes planas,
    Esos hielos
Muestran un azul ya un poco
    Más benévolo.

Aliviadme, refrescadme,
Témpanos. Vuestro archipiélago
Permanezca en mi verano,
Sobre mi sombra y mi techo.

—¡Oh, cuánto azul! —¿Todavía
    Con exceso?
Aquí estoy para servirle
    De consuelo.

TARDE MUY CLARA

Por el azul los corderos
    En redil
Presentaban las blancuras
    De su gris.

En un chopo un ave negra
    Casi azul
Gemía. ¿No era un doliente
    Bululú?

Los corderos esparcían
    Candidez.
¿El cielo azul era blanco
    Para él?

Casi azul, aunque tan negra
    De tensión,
¿El ave no se adornaba
    Su dolor?

¡Qué oscuros tantos enigmas
    A la par!
Entera lució la tarde:
    Claridad.

LAS HORAS

I

Arriba dura el sosiego.
Nada humano le corrompe.
Eternamente refulgen
Las soledades mayores.

        Va la luna
Ganando noche a la noche,
        Y rendida
Luce una verdad muy joven.

Es la paz. No existen fuegos
Ni lámparas que interroguen.
La luna está serenando
        Su horizonte,

Y a ese filo de la luna
        Corresponde
Neto el perfil de la cumbre,
        Sola entonces.

Nadie lanza voz ni piedra
Que por los riscos rebote.
Intacto el silencio arriba
Dura sobre los rumores.

II

Abajo, no. La almohada
Del insomne
Comunica a las tinieblas
Su desorden.

Yace inquieto el desvelado
Junto al borde
Sombrío. ¿Qué realidad
Se le esconde?

Y las afueras fluctúan
Bajo los pocos faroles,
Que un viso de enigma arrojan
A los términos más pobres.

Tiembla el reloj sin paisaje.
¿Hacia dónde
Va una hora sin un mundo
Que la asombre?

El tiempo quiere lugar,
Rechaza la hondura informe,
No acierta a vivir sin fondo
Que enamore.

III

Brisa de sombra sensible
Va estremeciéndose al roce
De un alma en toda su espera.
Late el pulso al astro acorde.

¿Aislamiento?
Siempre queda alguna torre.
Una hora
Canta para todos. ¿Oyes?

Circula el tiempo entre agujas
De relojes.
Todo se salva en su círculo,
Todo es orbe.

El instante,
Pulsado, sonado sobre
Tantas cuerdas,
En susurro se recoge.

¿Qué hora será? Son amigas
Esas hogueras de monte.
¿Las dos, las tres? En redondo
Reposa lo oscuro enorme.

IV

La luna da claridad
Humana ya al horizonte,
Y la claridad reúne
Torres, sierras, nubarrones.

Se abandona el desvelado.
¡Firme el borde
Nocturno! La inmensidad
Es un bloque.

En torno velando el cielo
Atiende, ciñe a la noche.
De la raíz a la hoja
Se yergue velando el bosque.

Fiel, a oscuras
Va el mundo con el insomne.
El reloj
Da las cuatro. ¡Firmes golpes!

Todo lo ciñe el sosiego.
Horas suenan. Son del hombre.
Las soledades humanas
Palpitan y se responden.

CERCO DEL PRESENTE

Cantan grillos. Cantan, quieren
Durar sonando.
La noche quiere más cielo
De su verano.

En un constante fluir
Se encauza y murmura, manso,
Un rumbo de oscuridad
Que se dirige hacia el canto.

Croan, perdidas, las ranas.
Noche de charcos.
¿Tinieblas difusas? Unen
Los grillos. ¡Tantos!

Mana tiempo del presente,
Susurro sin intervalo.
Lo que fué, lo que será
Laten, ahora inmediatos.

Actualidad infinita
Dura creando.
Grillos sonantes. La noche
Tornea campo.

DESCANSO EN JARDÍN

Los astros avanzan entre
Nubarrones
Hacia el último jardín.
Losas, flores.

¿Qué del incidente humano?
Calma en bloque.
Los muertos están más muertos
Cada noche.

Mármoles, frondas iguales:
Verde el orden.
Sobre el ciprés unos astros:
Más verdores.

Muriendo siguen los muertos.
¡Bien se esconden,
Entre la paz y el olvido,
Sin sus nombres!

Haya para el gran cansancio
Sombra acorde.
Los astros se acercan entre
Nubarrones.

III

CUNA, ROSAS, BALCÓN

¿Rosas? Pero el alba.
...Y el recién nacido.
(¡Qué guardada el alma!)
Follajes ya: píos.

Muelle carne vaga,
Sueño en su espesura,
Cerrazón de calma,
Espera difusa.

Rosas —para el alba.
Pura sí, no alegre,
Se esboza la gracia.
¡Oh trémulas fuentes!

Creaciones, masa,
Desnudez, hoyuelos.
La facción exacta
Relega lo eterno.

¿Ya apuntan cerradas
Aún, sí, sonrisas?
...La aurora (¿Y el alba?)
¡Oh rosas henchidas!

LUZ DIFERIDA

¿Luz? Que espere. Luz, no,
Niebla aún. Y yo, quieto.
Dure, dure el sopor,
Tan dulcemente dueño.

Divino: presentir
Casi desde la nada.
Mejor ganar así
La incógnita mañana.

¡Oh supremo pasaje!
Por él voy despertando
—Sin alterar los frágiles
Encajes del encanto.

Soñar, no: casi ver
La realidad. ¿Hostil?
Con toda su altivez
A quien busca es a mí.

¡Gran merced! A través
De mi niebla columbro
La perfección. En pie
Sigue un mundo absoluto.

MUCHAS GRACIAS, ADIÓS

I

De súbito ocurrió:
Yo empezaba a ser otro.
Atropelladamente
Feo, muy feo, torvo,

Algo se sublevaba
Contra ese poderío
Que al corazón y al mundo
Concierta en un latido.

¡Oh dolor! Siempre ajeno,
Suplantaba a mi voz,
Que en algún ¡ay! —herido,
Caído— se quebró.

Mientras, yo resistía
—Bajo mí mismo oculto—
Negándome al presente,
Contando por segundos.

De error aquella torpe
Lentitud en pasar.
¿Qué hacer? Mis soledades
Se erguían contra el mal.

II

Poco a poco, sufriendo
Más realidad abrazo.
¿O es ella quien me estrecha,
Profundamente en acto?

Verdad es: hay suburbios,
Y atroces. Para mí
Son ya tan fabulosos
Que no los sé eludir.

¡Ay! Yo también comparto
Desiertos donde yacen
Muchedumbres de seres
Perdidos en su carne.

¿Confusión? Apretura
De vida indivisible.
No hay otra. ¡Dure, pues!
En su afán he de hundirme.

Siga, siga mi rumbo
Por la gran realidad.
Y. . . ¿no habré de elegir
Resistiendo y ganar?

III

Quiero mi ser, mi ser
Íntegro. Toda el alma
Se ilumina invocando
Las horas más cantadas.

Yo no soy mi dolor.
¿Mío? Nunca. No acoge
Mi poder. Anulado,
Me pierdo en el desorden.

—Padecer da saber.
—¿Y qué, si me arrebata,
Frente a las hermosuras
Divinas, toda el ansia?

Padecer, sumo escándalo.
¿No me envuelve en discordia
Bárbara con mi esencia,
Mi destino, mi norma?

Pase, pase el embrollo,
Vuelva la paz y déjeme
Resucitado ser
Dentro de mi presente.

IV

He sufrido. No importa.
Ni amargura ni queja.
Entre salud y amor
Gire y zumbe el planeta.

Desemboqué en lo alto.
Vida regala vida,
Ímpetu de ascensión.
Ventura es siempre cima.

Quien dice la verdad
Es el día sereno.
El aire trasparenta
Lo que mejor entiendo.

Suenan aquí las calles
A esparcido tesoro,
A júbilo de un Mayo
Que nos abraza a todos.

La luz, que nunca sufre,
Me guía bien. Dependo,
Humilde, fiel, desnudo,
De la tierra y el cielo.

EL SEDIENTO

¡Desamparo tórrido!
La acera de sombra
Palpita con toros
Ocultos. Y topan.

Un sol sin aleros,
Masa de la tarde,
Convierte en silencio
De un furor el aire.

¡De prisa, que enfrente
La verja franquea
Su reserva! Huele,
Huele a madreselva.

Penumbra de olvido
Guardan las persianas.
Sueño con un frío
Que es amor, que es agua.

¡Ah! Reveladora,
El agua de un éxtasis
A mi sed arroja
La eternidad. — ¡Bebe!

CIMA DE LA DELICIA

¡Cima de la delicia!
Todo en el aire es pájaro.
Se cierne lo inmediato
Resuelto en lejanía.

¡Hueste de esbeltas fuerzas!
¡Qué alacridad de mozo
En el espacio airoso,
Henchido de presencia!

El mundo tiene cándida
Profundidad de espejo.
Las más claras distancias
Sueñan lo verdadero.

¡Dulzura de los años
Irreparables! ¡Bodas
Tardías con la historia
Que desamé a diario!

Más, todavía más.
Hacia el sol, en volandas
La plenitud se escapa.
¡Ya sólo sé cantar!

TORNASOL

Tras de las persianas
Verdes, el verdor
De aquella enramada
Toda tornasol

Multiplica en pintas,
Rubias del vaivén
De lumbre del día,
Una vaga red

Varia que, al trasluz
Trémulo de estío,
Hacia el sol azul
Ondea los visos

Informes de un mar
Con ansia de lago
Quieto, claridad
En un solo plano,

Donde esté presente
—Como un firme sí
Que responda siempre
Total— el confín.

LA TORMENTA

¿Víspera? Colmo torpe
Se resquebraja. Van
En busca de otro mar
Embates de rebotes

De bronce en bronces. Lívidos
Gritos lanza a los seres
El espacio. ¡Presiente
Sus límites perdidos!

Tinieblas en acecho,
Cárdeno sobresalto,
Choques. Choques de pasmos
Deslumbran a unos cielos

Fugados que se huyen.
¡Y se arrojan instantes
Atónitos de mármoles
Mártires de las lumbres!

Una luz resucita
Desnudos. Silbos sesgos
Arrebatan lo cierto.
¿Víspera? ¡Viva, viva!

EL OTOÑO: ISLA

El otoño: isla
De perfil estricto,
Que pone en olvido
La onda indecisa.

¡Amor a la línea!
La vid se desnuda
De una vestidura
Demasiado rica.

Y una canastilla
De alegres racimos
Cela un equilibrio
De sueños en minas.

Estilo en la dicha,
Sapiencia en el pasmo,
Entre errante fausto
La rama sencilla.

¿Dulce algarabía?
Agudo el ramaje
Niega ya a las aves
Música escondida.

¡Oh claridad! Pía
Tanto entre las hojas
Que quieren ser todas
A un tiempo amarillas.

¡Trabazón de brisas
Entre cielo y álamo!
Y todo el espacio,
Tan continuo, vibra.

Esta luz antigua
De tarde feliz
No puede morir.
¡Ya es mía, ya es mía!

—Pronto, pronto, ensilla
Mi mejor caballo.
El camino es ancho
Para mi porfía.

PERFECCIÓN DEL CÍRCULO

Con misterio acaban
En filos de cima,
Sujeta a una línea
Fiel a la mirada,

Los claros, amables
Muros de un misterio,
Invisible dentro
Del bloque del aire.

Su luz es divina:
Misterio sin sombra.
La sombra desdobla
Viles mascarillas.

Misterio perfecto,
Perfección del círculo,
Círculo del circo
Secreto del cielo.

Misteriosamente
Refulge y se cela.
—¿Quién? ¿Dios? ¿El poema?
—Misteriosamente...

TRÁNSITO

El mundo muy terso,
Rauda la tersura,
Olvidado el miedo,
La inminencia astuta.

Y a pesar del sol,
Girando, girando
Desapareció
Lo terso en lo raudo.

¿Tan fácil un fin
De veras final?
¡Oh nulo perfil,
Croquis del azar!

¡Horror! Ningún astro
Mantuvo solemne
La espera del tránsito.
Astros: concededme

Final en sazón.
Sea el universo.
Pero que el adiós
Lo deje perfecto.

CÓMO EN LA NOCHE MORTAL

La luz va con la voz
Resolviéndose en fondo,
Cada noche más vivo,
De esta calle a las ocho.

Flota una algarabía
De esfuerzos. No se sienten
—Aunque están— las estrellas,
Ignoradas, silvestres.

Un entrecruzamiento
De ruido iluminado
Compone una clausura
De creación a salvo.

¡Tumulto de invenciones!
Por sus escaparates
Las lunas me despejan
Realidad ya en imagen.

Mujeres fugacísimas,
Ráfaga hacia el deseo,
Un ocio vagabundo...
¿Qué es lo que yo no quiero?

¡Oh Dios, en esta hora
Tan perdida, tan ancha,
Vagar feliz, apenas
Distinto de la nada!

Una ciudad. Las ocho.
Yo, transeúnte: nadie.
Me ignora amablemente
La maraña admirable.

Tan oscuro me acepto
Que no es triste la idea
De "un día no seré".
Esta noche es aquélla.

Lucirá esta dulzura
De ciudad trabajada
Dentro de aquella noche,
Sombría en mis pestañas.

¡Avisos verdes, rojos!
Y se deslizarán
Los coches a través
Del tiempo y su verdad.

Atesorado encanto,
Surtidor de su noche.
Sin cesar, victoriosas,
Las luces y las voces.

VIDA URBANA

Calles, un jardín,
Césped — y sus muertos.
Morir, no, vivir.
¡Qué urbano lo eterno!

Losa vertical,
Nombres de los otros.
La inmortalidad
Preserva su otoño.

¿Y aquella aflicción?
Nada sabe el césped
De ningún adiós.
¿Dónde está la muerte?

Hervor de ciudad
En torno a las tumbas.
Una misma paz
Se cierne difusa.

Juntos, a través
Ya de un solo olvido,
Quedan en tropel
Los muertos, los vivos.

PRESENCIA DEL AIRE

Esas nubes, el gris
Tan joven por su rumbo
Sin prisa de futuro,
La actualidad feliz

De aquel perfil, en boga
Tranquila hacia la mancha
Final, desparramada
Muy bien hasta la Gloria...

Este cristal, a fuer
De fiel, me trasparenta
La vida cual si fuera
Su ideal a la vez.

¡Oh prodigio, virtud
De lo blanco en el aire!
Todo el aire en realce,
Desnudez de su luz.

Luz, evidencia arisca,
Aunque en tanta alianza
Con todo. ¡Ah! La nada
Y la luz aun se miran.

A LO LARGO DE LAS ORILLAS ILUSTRES

Río con riberas
De historias y mitos:
¿Dejas o te llevas
Los días perdidos?

Días. . . Y trascurren.
Un son va quedando
—Orillas ilustres—
Preso de un encanto.

Suenan con el río
Las voces de antes.
¡Fragancia de siglos
Frescos! Y la tarde.

Bajo los castaños
Se amontonan tomos
Para que despacio
Crezca el tiempo en ocio.

Entre monumentos
—Mayo en flor y puente—
Va el río queriendo
Siempre, siempre, siempre.

SAZÓN

El vaivén de la esquila
De la oveja que pace...
En su punto la tarde:
Fina monotonía.

¡Polvareda de calma,
Trasluz de lo plenario!
¡Ahinco cabizbajo,
Émulo de la hazaña!

La quietud es extrema
En el rebaño terco.
Acrece y guarda el tiempo
Sus minutos, su hierba.

¡Lejanías en blanco,
Para la rumia grama!
¡Horizonte, tardanza
Del infinito espacio!

En su punto la tarde:
Fina monotonía...
El vaivén de la esquila
De la oveja que pace.

MAYO NUESTRO

Mayo, con verdor
Que todo lo puede,
Se entrega asaltando,
Verde, verde, verde.

¡Hojas! Y la rama
Prorrumpe hacia el sol.
Más sombra en la sombra
Se ciñe al amor.

¡Balcones abiertos!
Por el aire viene
Dicha aparecida.
¡Hay tierra presente!

Follaje oreando,
La suma sazón
Se levanta. Cumbre:
Mayo con tu voz.

Encumbrada así,
La vida convierte
Su arranque fugaz
En alma de siempre.

¡Juntos! Mediodía
Busca desnudez.
En la luz se extreman
Tu gracia, mi fe.

Cierto, ¡cuántas horas
Más graves que leves!
Somos uno entonces,
Uno. ¿Quién le vence?

Ve por nuestros ojos
Amor zahorí.
¡Qué inmensa aventura
De luz hasta el fin!

El día embelesa,
Mayo se detiene,
Tiempo enamorado
No sabe de muerte.

Sonríes. Contigo
Todo es realidad.
¿Quedan, lejos, máscaras?
Tu faz es tu afán.

Afán por vivir
En la luz, en este
Cruce de esos cielos
Que todo lo envuelven.

ELEVACIÓN DE LA CLARIDAD

Muelles desniveles...
¿Su varia ocurrencia
Se equilibra a fuerza
De tiempo inocente?

Hierbas, juncos, aguas.
Cede el equilibrio
Bajo el pie. Crujidos
Velados de trampa.

Pero no. Los troncos
Elevan a sed
De luz la avidez
En sombra del soto.

Entre los follajes,
Diminutos cielos
Suman un ileso
Término sin partes.

Y se centra el vasto
Deseo en un punto.
¡Oh cenit: lo uno,
Lo claro, lo intacto!

LO ESPERADO

Tras los flacos esquemas
Trémulos de las sombras
Que al dichoso en potencia
Por un atajo acosan,

Después de tantas noches
Arqueadas en túneles
De una luna entre roces
De silencio y de nube,

Aquí está lo esperado.
El doliente vacío
Va poblándose. ¡Pájaros!
Aquí mismo, aquí mismo,

Dentro de la absoluta
Sazón de una evidencia
Que obliga a la aventura
De quien por fin no sueña,

El alma, sin perder
El cuerpo, va creando
Su plenitud: nivel
Pasmoso de la mano.

MÚSICA, SÓLO MÚSICA

Por los violines
Ascienden promesas.
¿Me raptan? Se entregan.
Todo va a cumplirse.

Implacable empeño
De metal y cuerda:
Un mundo se crea
Donde nunca hay muertos.

Hermoso destino
Se ajusta a su temple.
Todo está cumpliéndose,
Pleno en el sonido.

Se desliza un mundo
Triunfante y su gracia
Da forma a mi alma.
¿Llego a un absoluto?

Invade el espíritu,
Las glorias se habitan.
Inmortal la vida:
Todo está cumplido.

SALVACIÓN DE LA PRIMAVERA

I

Ajustada a la sola
Desnudez de tu cuerpo,
Entre el aire y la luz
Eres puro elemento.

¡Eres! Y tan desnuda,
Tan continua, tan simple
Que el mundo vuelve a ser
Fábula irresistible.

En torno, forma a forma,
Los objetos diarios
Aparecen. Y son
Prodigios, y no mágicos.

Incorruptibles dichas,
Del sol indisolubles,
A través de un cristal
La evidencia difunde

Con todo el esplendor
Seguro en astro cierto.
Mira cómo esta hora
Marcha por esos cielos.

II

Mi atención, ampliada,
Columbra. Por tu carne
La atmósfera reúne
Términos. Hay paisaje.

Calmas en soledad
Que pide lejanía
Dulcemente a perderse
Muy lejos llegarían,

Ajenas a su propia
Ventura sin testigo,
Si ya tanto concierto
No convirtiese en íntimos

Esos blancos tan rubios
Que sobre su tersura
La mejor claridad
Primaveral sitúan.

Es tuyo el resplandor
De una tarde perpetua.
¡Qué cerrado equilibrio
Dorado, qué alameda!

III

Presa en tu exactitud,
Inmóvil regalándote,
A un poder te sometes,
Férvido, que me invade.

¡Amor! Ni tú ni yo,
Nosotros, y por él
Todas las maravillas
En que el ser llega a ser.

Se colma el apogeo
Máximo de la tierra.
Aquí está: la verdad
Se revela y nos crea.

¡Oh realidad, por fin
Real, en aparición!
¿Qué universo me nace
Sin velar a su dios?

Pesa, pesa en mis brazos,
Alma, fiel a un volumen.
Dobla con abandono,
Alma, tu pesadumbre.

IV

Y los ojos prometen
Mientras la boca aguarda.
Favorables, sonríen.
¡Cómo intima, callada!

Henos aquí. Tan próximos,
¡Qué oscura es nuestra voz!
La carne expresa más.
Somos nuestra expresión.

De una vez paraíso,
Con mi ansiedad completo,
La piel reveladora
Se tiende al embeleso.

¡Todo en un solo ardor
Se iguala! Simultáneos
Apremios me conducen
Por círculos de rapto.

Pero más, más ternura
Trae la caricia. Lentas,
Las manos se demoran,
Vuelven, también contemplan.

V

¡Sí, ternura! Vosotros,
Soberanos, dejadme
Participar del orden:
Dos gracias en contraste,

Valiendo, repartiéndose.
¿Sois la belleza o dos
Personales delicias?
¿Qué hacer, oh proporción?

Aunque... Brusco y secreto,
Un encanto es un orbe.
Obsesión repentina
Se centra, se recoge.

Y un capricho celeste
Cándidamente luce,
Improvisa una gloria,
Se va. Le cercan nubes.

Nubes por variación
De azares se insinúan,
Son, no son, sin cesar
Aparentes y en busca.

Si de pronto me ahoga,
Te ciega un horizonte
Parcial, tan inmediato
Que se nubla y se esconde,

La plenitud en punto
De la tan ofrecida
Naturaleza salva
Su comba de armonía.

¡Amar, amar, amar,
Ser más, ser más aún!
¡Amar en el amor,
Refulgir en la luz!

Una facilidad
De cielo nos escoge
Para lanzarnos hacia
Lo divino sin bordes.

Y acuden, se abalanzan
Clamando las respuestas.
¿Ya inminente el arrobo?
¡Durase la inminencia!

¡Afán, afán, afán
A favor de dulzura,
Dulzura que delira
Con delirio hacia furia,

Furia aun no, más afán,
Afán extraordinario,
Terrible, que sería
Feroz, atroz o...! Pasmo.

¿Lo infinito? No. Cesa
La angustia insostenible.
Perfecto es el amor:
Se extasía en sus límites.

¡Límites! Y la paz
Va apartando los cuerpos.
Dos yacen, dos. Y ceden,
Se inclinan a dos sueños.

¿Irá cruzando el alma
Por limbos sin estorbos?
Lejos no está. La sombra
Se serena en el rostro.

VI

El planeta invisible
Gira. Todo está en curva.
Oye ahora a la sangre.
Nos arrastra una altura.

Desde arriba, remotos,
Invulnerables, juntos,
A orillas de un silencio
Que es abajo murmullos,

Murmullos que en los fondos
Quedan bajo distancias
Unidas en acorde
Sumo de panorama,

Vemos cómo se funden
Con el aire y se ciernen
Y ahondan, confundidos,
Lo eterno, lo presente.

A oscuras, en reserva
Por espesor y nudo,
Todo está siendo cifra
Posible, todo es justo.

VII

Nadie sueña y la estancia
No resurge habitual.
¡Cuidado! Todavía
Sigue aquí la verdad.

Para siempre en nosotros
Perfección de un instante,
Nos exige sin tregua
Verdad inacabable.

¿Yo querré, yo? Querrá
Mi vida. ¡Tanto impulso
Que corre a mi destino
Desemboca en tu mundo!

Necesito sentir
Que eres bajo mis labios,
En el gozo de hoy,
Mañana necesario.

Nuestro mañana apenas
Futuro y siempre incógnito:
Un calor de misterio
Resguardado en tesoro.

VIII

Inexpugnable así
Dentro de la esperanza,
Sintiéndote alentar
En mi voz si me canta,

Me centro y me realizo
Tanto a fuerza de dicha
Que ella y yo por fin somos
Una misma energía,

La precipitación
Del ímpetu en su acto
Pleno, ya nada más
Tránsito enamorado,

Un ver hondo a través
De la fe y un latir
A ciegas y un velar
Fatalmente —por ti—

Para que en ese júbilo
De suprema altitud,
Allí donde no hay muerte,
Seas la vida tú.

IX

¡Tú, tú, tú, mi incesante
Primavera profunda,
Mi río de verdor
Agudo y aventura!

¡Tú, ventana a lo diáfano:
Desenlace de aurora,
Modelación del día:
Mediodía en su rosa,

Tranquilidad de lumbre:
Siesta del horizonte,
Lumbres en lucha y coro:
Poniente contra noche,

Constelación de campo,
Fabulosa, precisa,
Trémula hermosamente,
Universal y mía!

¡Tú más aún: tú como
Tú, sin palabras toda
Singular, desnudez
Única, tú, tú sola!

2

LAS HORAS SITUADAS

Da el hombre a su labor sin ningún miedo
Las horas situadas.

FRAY LUIS DE LEÓN

PASO A LA AURORA

I

Hay más alba, más alba en tanta lluvia.
Unánime fragor de creación: diluvia.
¡Agua de inmensidad!

Choca en el barro,
Derrumbamiento aún que ya inicia un galope,
El despilfarro
Celeste de algún Lope.
¡Oh generosas nubes del impuro!
Chapotea en lo oscuro,
Galopando con su caballería,
Un caos que se forma
Su guía.
¿Caos en agresión no pide norma?

Alba y lluvia se funden. Con informe,
Quizá penoso balbuceo
Tiende a ser claro el día.
Apura el creador. ¡Querrá que se conforme
Su mundo a su deseo!
Todo, sí, rumoroso y prometido,
Se riza de recreo,
Todo puede ser nido.
...No más diluvio. Llueve.

El agua determina con placer su goteo
Límpido y breve.
A través de un aire más libre la luz se atreve.

Término en desnudez, y sorprendida: tierra.
Con el frescor se esparce
La novedad intacta de un origen,
Que todavía yerra
Por entre los murmullos de su propio destino.
Con tal lluvia en las hojas aquel arce
Siente mejor los cielos que le rigen,
Y presiente quizá de dónde vino
—Tan nocturno el subsuelo y tan remoto—
Aquella profusión de copa manifiesta.
El agua viva abraza.
No hay coto
Que se cierre al afán de más floresta,
Floresta alboreante con su traza
De casi perfección en su frescura
De recién prorrumpida criatura.

Este candor —aroma
De terrones mojados—
Conduce a una amplitud por donde asoma
La claridad, aún escalofrío
También.
Palpita apareciendo aquella loma,
Trémula con sus prados,
Con su más que rocío.

Madrugador, un tren
—Y violento— zumba por entre el caserío
De los aún callados.
Hasta lejos del río
Temblor hay de ribera.
Todo en su luz naciente se aligera.

Y prorrumpe de nuevo el gran enlace.
Cándidas, inmediatas, confiadas,
Aguardan las posadas
En que el sol goza y yace.
Convertido en promesa,
El albor se enamora,
Y de querer no cesa
Con ímpetu de aurora.
¿Un instante del iris? Luz ilesa.
¡Qué terroso el olor, qué humedad tan humana!
He aquí, fiel prodigio, la mañana.

II

¿Vuelve todo a surgir como en primera vez,
Este universo es primitivo?
Mejor: todo resurge en esbeltez
Para ser más... Aquel despliegue de ramaje
Con el retorcimiento varonil de un olivo,
El anónimo pájaro que avanza,
Mudo, sobre la hierba.

La esperanza está aquí. ¡Otra vez la esperanza
Tras el desvelo sin paisaje
— O soñado quizá — de noche acerba!
Aquí, sobre la cima
Ya clara,
Estar es renacer.
Hasta en lo más oculto, bajo tierra, se anima
Su tentación —latente— de algazara:
A plena luz la calidad de ser.

Fluye la luz en ondas amarillas,
Y sobre el horizonte golfos, lagos
Entregan su orillas
A una trasformación en más capricho.
¡Oriente — sin tapices ni varillas
De magos!
Todo es nuevo... Tan nuevo que nadie aún lo ha dicho.
¡El sol! Y no deslumbra. Se remonta con lenta
Suavidad. ¡Ah, ninguno de existir se arrepienta!
Llegarán a su forma los materiales vagos.

¡El sol! Sobre las tierras, sobre las aguas, sobre
Los aires, ese fuego. Todo se le confía,
Nada quiere ser pobre.
¿Rosa, coral? Es realidad, es día.
Nadie columbra entonces —¡nubes!— la lejanía
Sin sentir otra vez que el suelo de la calle
No deja de ser valle,
A pesar de los hombres inminente.

Aquí están su posible silencio más sencillo,
La misma primavera
Con aquella primera
Gran ventura sin gente,
Aquí están su follaje, su pájaro, su grillo.
Todo se suma necesariamente:
La pared soleada y mi consuelo,
Ese cristal y el cielo.

Un cristal de ventana
Se me ofrece y sujeta
La calle a la alegría de su diafanidad.
¡Oh ciudad bajo el sol, ciudad
Del sol, repleta
De gana!

¿La luz no es quien lo puso
Todo en su tentativa de armonía?
Este suelo de valle revelado es alfombra.
A los balcones sube, por la ciudad difuso,
Un runrún que va siendo rumor de compañía.
Extremo pacto:
El sol va a iluminar hasta la sombra.
Chispas hay con rocío que permanece intacto.
Todo, por fin, se nombra.

Suprema perfección: ese andar de muchacha,
Aurora en acto,
Facilidad, felicidad sin tacha.

EL DURMIENTE

¿Cabecea el esquife?
Sí, ya la noche inmóvil
En el espacio puro.
    ¡Cabeceo feliz!
    Es alta mar muy lisa.
    ¡Ni desnivel de horas!

Todos los esplendores
Oscuros, sin ornato,
Corroboran lo escueto.
    ¡Pero qué vulnerable!
    Basta un agudo grito.
    ¡Albor, albor, albor!

A la costa conducen
El esquife los puños
De solares remeros.
    ¡Y qué ceñudamente,
    A medio abrir los ojos,
    Atraca el navegante!

Vacilando aturdido
Se pierde por la orilla,
Trémula de relojes.

PRIMAVERA DELGADA

Cuando el espacio sin perfil resume
Con una nube
Su vasta indecisión a la deriva,
—¿Dónde la orilla?—
Mientras el río con el rumbo en curva
Se perpetúa
Buscando sesgo a sesgo, dibujante,
Su desenlace,
Mientras el agua duramente verde
Niega sus peces
Bajo el profundo equívoco reflejo
De un aire trémulo...
Cuando conduce la mañana, lentas,
Sus alamedas
Gracias a las estelas vibradoras
Entre las frondas,
A favor del avance sinuoso
Que pone en coro
La ondulación suavísima del cielo
Sobre su viento
Con el curso tan ágil de las pompas,
Que agudas bogan...
¡Primavera delgada entre los remos
De los barqueros!

FELIZ INSENSATO

—¿Dónde está, dónde estará?
—¡Aquí está!

No deja de jugar el feliz insensato.
Como suma armonía
La Creación acoge este arrebato
Pueril. ¡Nadar, volar por la vacía
Primavera de un aire sin morada!
Y ascendiendo a su cumbre de alegría
Se arroja al sol más cándido la niñez confiada.
Ya todo es elemento
De alguna encrucijada
Donde el mundo no cesa
De referir su historia como un cuento.
Una mesa —no más, aquella mesa—
Hoy descubre su fondo:
Un secreto de gruta,
Un islote redondo.
¡Niñez! Y todo, libre, se trasmuta.
Basta la diminuta
Persona.
Por su voz y sus manos,
A través de minúsculos arcanos,
La gracia de un espíritu ya acciona.

Compás
De gracia
No sacia
Jamás.

Uno a uno por los peldaños...
¡Tente,
Primer inocente!
Son muchos más que tus años.

Vive con tu fe,
Ríe sin porqué.

Atracción, seducción
De cima
Se ofrece a quien la ve desde una sima
De suelos explorados. ¡Él quisiera
Conocer, escalar aquel sillón,
Tenderse en la tierna ladera
Que de súbito allí se anima
Sin nada y verdadera!

Todavía no existe el mal.
Un ser es ahora inmortal.

¿En desorden el candor?
Adorable incoherencia.
El mundo se oye mejor
Su cadencia.

Compás
De gracia
No sacia
Jamás.

¡Jugar, jugar en medio
De esa masa de asedio
Que en implacables círculos rodea
De espesura al nacido:
Nacido a realidad que aun no es idea,
Y ya con él palpita!
Siempre doble el latido,
Continúa la cita
Prodigiosa: la luz y esa niñez.
Sin cesar en acecho,
¡Ah, cómo se responden a la vez
Los brazos tan pueriles
—Que en ímpetu derecho
Se arrojan a los miles
De esplendores fundidos al gran hecho
Del día—
Y el ámbito en espera que al sol fía
Su amplitud desvelada entre perfiles!
La Creación acoge este arrebato
De fe como armonía
Suma. ¡Juegue el feliz más insensato!

—¿Dónde está, dónde estará?
—¡Aquí está!

EMINENCIA

¡Árboles! Son ilustres, son muy viejos,
Y su vejez —erguida—
Con ímpetu que viene de muy lejos
Ahonda la avenida.

Días y días, días en la clara
Profundidad. ¡Espacio!
Tanto inmenso horizonte se declara
Fondo. Triunfe el palacio.

Copas se espesan en verdor oscuro
Que un cielo bajo mueve.
Por su ventana solitaria el muro
Ve su valle, tan breve.

¿Y alrededor? A las vistillas cierra
—Próxima está la nube—
Un arbolado en marcha que a la sierra
Por todas partes sube.

¿No se ve más? Hay brisa... La ventana
Siente que el valle aloja
Profundidad sin fin. El árbol gana.
¡Fresca otra vez la hoja!

ESPERANZA DE TODOS

¡Esperanza de todos!
Y todos con el sol y la mañana
Se juntan en rumor,
En brillo sonreído,
En un aplauso que se va esparciendo
De la gente a la nube,
Del balcón a la espuma que se irisa
Junto al remo en realce
Festivo.
El barullo solar
Remueve de continuo los errantes
Pies que se arrastran con sus transeúntes
En búsqueda y espera.
¿Por dónde la esperanza?
Se aúpan a los árboles los niños,
Crecen entre las hojas.
Se perfilan en júbilo las verjas,
Ya del adolescente.
Un calor inicial, calor temprano
De la más compartida primavera,
Anuncia
La magnitud dichosa del estío.
Sobre el rumor difuso el grito pasa
Lejos ya y disolviéndose,

Blando grito de nadie para nadie.
Llega a flotar un gozo que suaviza,
Si no impide, la discordancia al raso.
¡Batahola de fiesta,
De calor que es amigo,
De gente como bosque,
Bajo el sol multitud centelleante
De sonrisa y mirada,
Tan múltiples que pierden todo rumbo
Por entre tantos cruces
De rayo, savia y multitud que espera!
Esperanza: la esperanza de todos.
Un compás, un desfile,
Invocación, exclamación, loores,
— O nada más requiebros —
Y el río verde que desfila casi
Rojizo, si no sepia,
El río que acompaña
También,
De puente en puente primavera abajo,
Magno río civil de las historias.
¿Por dónde la esperanza?
La multitud se apiña hacia el relumbre,
Todo se estorba en una pleamar
Que se recibe como seña y dádiva
Del estío futuro.
¡Confusión —con un rayo
De sol buído sobre los metales,
Arneses, lentejuelas, terciopelos

De triunfo!
La esperanza valiente
Se interna, se difunde,
Hermosa, general:
Pueblo, compacto pueblo en ejercicio
De salud compartida,
De una salud como festivo don,
Como un lujo que allí se regalase.
Y sobre las aceras,
Algún lento celaje transeúnte.
Y las torres, las torres ataviadas
De simple abril en cierne,
Las torres desde siglos
—Ya sin orgullo— bellas para todos.
¿Por dónde al fin, por dónde?
Todos van juntos a esperar ahora,
Festivos,
A esperar la esperanza.
¡Oh virgen esperanza, si divina,
Tan abrazada al aire,
Y a la voz que más alto se remonta,
Y al silencio de muchos un momento!
Son muchos
A través de un rumor pacificado,
Muchos sobre su paz
De hombres,
En torno a su esperanza
De abril.
Y la sangre circula por los cuerpos,

Eficaz sin deber de sacrificio,
Sangre por esta espera.
¡Qué profunda la hora y matutina,
Feliz engalanada
Con su simple verdad primaveral!
Y se cruzan los vivas,
Altos vivas radiantes.
Bajo el azul, de súbito... ¿Silencio?
Un vítor. ¡Vítor! La ovación en acto
De pura convergencia soleada.
¿Un coro? No. Mejor:
Abril común sobre una sola tierra,
¡Abril!
Es posible una vez
Enriquecerse en gozo por la suma
De tanto ajeno gozo,
Por la acumulación conmovedora
De claridad y espera.
En el aire un futuro
Libre, libre de muerte
—O con vida en la muerte, más allá.
¡Esperanza en la vida inacabable
Para mí, para todos,
Vía libre a las horas!
Grito hacia sol, raudal, nivel de fiesta.
La multitud se ahinca en su alegría,
Y todo se reúne,
Feraz.
¡Esperanza de todos!

SÁBADO DE GLORIA

Sábado.
        ¡Ya gloria aquí!
Maravilla hay para ti.

Sí, tu primavera es tuya.
¡Resurrección, aleluya!

Resucitó el Salvador.
Contempla su resplandor.

¡Aleluya en esa aurora
Que el más feliz más explora!

Se rasgan todos los velos.
¡Más Américas, más cielos!

Ha muerto, por fin, la muerte.
Vida en vida se convierte.

¡Explosiones de esperanza:
A su forma se abalanza!

Por aquí ha pasado Aquél.
¡Viva el Ser al ser más fiel!

Todo a tanta luz se nombra.
¡Cuánto color en la sombra!

Se arremolina impaciente
La verdad. ¡Triunfe el presente!

Alumbrándome fulgura
Ya hoy mi suerte futura.

¡Magnífico el disparate
Que en júbilo se desate!

El Señor resucitó.
¡Impere el Sí, calle el No!

Sí, tu primavera es tuya.
¡Resurrección, aleluya!

Sábado.
¡Gloria!
Confía
Toda el alma en su alegría.

VIENTO SALTADO

¡Oh violencia de revelación en el viento
Profundo y amigo!
¡El día plenario profundamente se agolpa
Sin resquicios!

¡Y oigo una voz entre rumores de espesuras,
Oigo una voz,
Que de repente desligada pide
Más, más creación!

¡Esa blancura de nieve salvada
Que es fresno,
La ligereza de un goce cantado,
Un avance en el viento!

¡En el viento, por entre el viento
Saltar, saltar,
Porque sí, porque sí, porque
Zas!

¡Por el salto a un segundo
De cumbre,
Que la Tierra sostiene sobre irrupciones
De fustes!

¡Arrancar, ascender... y un nivel
De equilibrio,
Que en apariciones de flor apunta y suspende
Su ímpetu!

¡Por el salto a una cumbre!
¡Mis pies
Sienten la Tierra en una ráfaga
De redondez!

¡En el viento, por entre el viento
Saltar, saltar,
Porque sí, porque sí, porque
Zas!

¡Sobre el sol regalado, sobre el día
Ligero
Dominar, resbalar con abril
Al son de su juego!

¡Sin alas, en vilo, más allá de todos
Los fines,
Libre, leve, raudo,
Libre!

¡Cuerpo en el viento y con cuerpo la gloria!
¡Soy
Del viento, soy a través de la tarde más viento,
Soy más que yo!

ADEMÁS

Júbilo al sol. ¿De quién? ¿De todos? Júbilo.

Un sonreír ya general apenas
De relumbre y penumbra se distingue.
Facilidad de acera matutina,
Deslizamiento de los carrüajes
Sin premura hacia un fondo de gran Mayo,
Supremo en la avenida tersamente
Dócil al resbalar de la mañana.
¿Por qué las calles tanto me embelesan
Si nada acciona como tentación
Por mi camino hermoso y cotidiano?
Penden tal vez más densos los follajes,
Olerá más al sol —recién cortada—
La hierba en los declives de un jardín.
¿O debo mi ventura al raudo ataque
—En una sola ráfaga de brisa
Como una embriaguez insostenible,
Si no es un solo instante— del aroma
Que hacia mi alma exhalan esos pinos?
¿O será nada más este calor,
Tan leve y ya tan abrazado al mundo?
Todo apunta hacia un ápice perfecto,
Y sin decir su perfección me colma

De la más clara fe primaveral.
¿Este suelo? Meseta en que me pasmo
De tanta realidad inmerecida,
Ocasión de mi júbilo. Tan firme,
Tan entrañable, tan viril lo siento
Que se confunde con mi propia esencia.
Hoy me asomo feliz a la mañana
Porque la vida corre con la sangre,
Y se me imponen placenteramente
Mi fatal respirar y un sonreír
Sin causa, porque sí, porque es mi sino
Propender con fervor al universo
—Quien, réplica dichosa de los dados,
Responde con prodigios además.
De veras se dirige a mi fervor
Esa luz sonriente en la penumbra
Del pavimento, bajo los follajes,
Sonriente en los claros de los troncos
Y de las hojas más privilegiadas,
Entre el verdor cortés y su ciudad.

Todo es prodigio por añadidura.

UNA PUERTA

Entreabierta, la puerta.
¿A quién busca esa luz?
Flúido el claroscuro.

Se trasluce, se esquiva
—¿Para quién el silencio?—
Un ámbito en clausura.
                    Llama, quizá promete
                    La incógnita. Vislumbres.
                    ¿A qué sol tal reposo?

Y el tránsito propone,
Dirige por un aire
Vacante, persuasivo.

Interior. Estos muros
Encuadran bien la incógnita.
¿Aquí? Nogal, cristal.
                    Un silencio se aísla.
                    ¿Familiar, muy urbano?
                    Huele a rosa diaria.

Puerta cerrada: lejos.
¿Esta luz es destino?
Entonces, frente a frente...

EL DIÁLOGO

Acompañaba el día aproximando:
Esfera de existencia
Que la atención latente
Reconocía gracias a incisiones
De rastros, a penumbras habituales.
El color era activo por su gusto:
Buen tiempo.
Así, la carretera
Tan usual convenía:
Ruta para el buen diálogo.

Se levantaban cerros
Con sus blancos y grises
Tan puros
Que eran sólo horizonte.
Se interponían zonas de una práctica:
Pinar, viñedo, tierra poseída.
¡Oh, nada poseíamos!
El diálogo,
Tan libre así, marchaba a pleno impulso.

Andar y hablar, hablar... Ninguna meta.
Sólo este cruzamiento de dos voces
En aire
Que no cesa de abrirse

Frente a nosotros con diafanidad.
¿Nosotros? Ni se dice ni se piensa.
Amigos:
Dos voces a nivel.
¡Para el amor, el énfasis!

Se abalanzó una frase apresurada
Dominando, montando,
Aunque flotaban tiempo,
Deleite,
Y una anchura de atmósfera dispuesta
Para la voz entonces tan central.
Salía al sol aquello tan informe
Por entre los murmullos de los muchos.
Era nuestro en el aire el pensamiento.
De ti,
De ti nacía, diálogo de dos.

Los cerros,
Tan apartados, sin verdor, humildes,
—¿Quién los pisa o los vuela?—
Se extienden, y muy próximos, en combas
Que facilitan cielo
Terrestre.
Esa aspereza de horizonte es nítida.

¿Aspereza? ¿Lo es?
Conversamos, acordes,
Más cálida la paz.

Nuestra andadura goza de la escueta
Limpidez en sazón de tanto valle.
Conversamos, entiendo.
Vive tan nivelado hacia mi vida
Que acierta a ser quien es:
Amigo.
Y una común inclinación escruta
Los varios espectáculos,
Doble luz esclarece algún atisbo
Mientras relampaguea,
Hay lenguaje en la pausa
Que lo recoge silenciosamente,
A una intención denuncia
Su presentida sombra.

Es mi amigo. Su amigo soy. ¡Costumbre
Discreta!
Atiende por discretos miradores
A nuestra mocedad
Común
La atención varonil,
Tan fiel ya que pudiera
—Sin ademán, sin lágrimas
Visibles—
Conmoverse. ¿Tal vez se ha conmovido?
A oscuras
Algo yace inconfeso.

¡Que todo lo solar, tan impaciente,

Desemboque en el diálogo!
Diálogo con tropel
Que se improvise, dúctil,
Hacia la lejanía de un final
Interrumpido. ¿Cómo concluir?
Hartura no es posible entre los labios.
¿No casan las respuestas
O sin vacilación
Se precipitan a su justo encaje?
Andar, andar y hablar...

Carretera hacia sol.
Día y más día sobre la palabra,
Que cede,
Rumbo a cierto silencio.
A los ojos complace
Reconocer, ahondar en lo vivido.
¿La novedad seduce con su instante?
Más seduce de nuevo
La trasparencia en mole de la atmósfera,
El verdor aguerrido del pinar,
Lejos, encastillado en su espesura,
Unas tapias aisladas tras su rústico
Descuido.

Sin voces todavía,
No deja de avanzar,
De prosperar el diálogo
Por la clara llanura

Donde nuestros destinos
Profundizan su propia libertad,
A sus anchas en nuestro infatigable
Convivir, trabajado
Siempre por la atención.
Una atención que llega a ser ternura,
Sólo dicha viviendo,
Conviviendo. Nuestras, libres las horas.

. . . El tren.
Y pasó con su cálculo de cólera.
La ciudad se ofrecía sobre el valle,
Era grato el retorno.
Algunas avecillas, sin prestigio
—¿Por qué?— tan primorosas, ignoraban
Nuestra figuración de transeúntes
Desde los zumbadores
—¡Oh viento en descampado!—
Cables —¿por qué no hermosos?— del telégrafo.

Los cerros, tan idénticos
A nuestra imagen de sus hermosuras,
Nos daban la razón.
Andábamos, hablábamos: amigos
En amistad, sin meta.
Fluía la atención. Tenía cauce.
El mundo se cernía,
Ignoto y leve, sobre nuestras voces.
Fluía la mañana por el diálogo.

AMOR A UNA MAÑANA

Mañana, mañana clara:
¡Si fuese yo quien te amara!

Paso a paso en tu ribera,
Yo seré quien más te quiera.

Hacia toda tu hermosura
Mi palabra se apresura.

Henos sobre nuestra senda.
Déjame que yo te entienda.

¡Hermosura delicada
Junto al filo de la nada!

Huele a mundo verdadero
La flor azul del romero.

¿De tal lejanía es dueña
La malva sobre la peña?

Vibra sin cesar el grillo.
A su paciencia me humillo.

¡Cuánto gozo a la flor deja
Preciosamente la abeja!

Y se zambulle, se obstina
La abeja. ¡Calor de mina!

El grillo ahora acelera
Su canto. ¿Más primavera?

Se pierde quien se lo pierde.
¡Qué mío el campo tan verde!

Cielo insondable a la vista:
Amor es quien te conquista.

¿No merezco tal mañana?
Mi corazón se la gana.

Claridad, potencia suma:
Mi alma en ti se consuma.

MESA Y SOBREMESA

El sol aumenta
Su íntima influencia.

RUBÉN DARÍO

...energía de normalidad.

ALFONSO REYES

Luce sobre el mantel, más blanco ahora,
El cristal —más desnudo.
Yo al amarillo ruboroso acudo.
Para mí se colora.

Fruta final. Un rayo se recrea
Dentro de nuestro juego,
Íntimo se perfila. Yo me entrego.
¡Color, perfil, idea!

En más placer la idea se nos muda,
Y de amigo en amigo
Rebota hacia la dicha que persigo:
Normalidad aguda.

¡Tanto verano generoso lanza
Sus fuerzas al concierto
De este sabor total! Mi mundo es cierto.
Casa con mi esperanza.

¡Oh diálogo ocurrente, de improviso
Luz en la luz vacante,
Punto de irisación en el instante
De gracia: Dios lo quiso!

A través de un cristal más sol nos llama.
¡Suprema compañía!
Tan solar es el vaso de alegría
Que nos promete fama.

Humo hacia el sol. El aire se concreta:
Jirón gris que yo esbozo.
Calladamente se insinúa el gozo
De una gloria discreta.

El tiempo se disuelve en la delicia
De un humo iluminado
Por ocio de amistad. ¿No es el dechado
Que el más sutil codicia?

Se redondea el borde de la taza
También para la mente.
Lúcida ante el café, se da al presente,
Y a la verdad se abraza.

¡Posesión de la vida, qué dulzura
Tan fuerte me encadena!
¿Adónde se remonta el alma plena
De la tarde madura?

VACACIÓN

Tanto sol va en la brisa que ella orea
Toda mi espera.

Tesoros míos, en mi espera laten
Rutas, ciudades.

¡Vacación! He ahí, como yo real,
Mi más allá.

Pasa —pozo de gozo, flor— la abeja
Con impaciencia,

Y en la flor tan gozada se complace
Todo un instante.

¡Los días del estío se abrirán
De par en par!

Un ocio de collados, admirables
Entre sus valles,

Confronta panoramas que me entregan
Ya sus promesas.

¡Aquella móvil sombra es un corcel
A mi merced!

Llega el tiempo esencial de revelarme,
Divinidades,

Tanto divino fondo oculto en fiesta
Que me rodea.

¡Gravita la sazón de jugar bien
Con todo el ser!

Tiempo sin lindes ante mí despierta
Sus arboledas,

Y esas nubes conmigo ya comparten
Sus disparates,

Alegría solar para asaltar
A la verdad.

¡Cuánta nube en la espuma que se acerca
Blanca a la arena,

Formas de juegos por los oleajes
Siempre vacantes!

¡Oh creación, vacación inmortal
Del que da más!

TRAS EL COHETE

Yo quiero
Peligros
Extremos:
Delirios
En cielos
Precisos
Y tersos.

¡Caballos
De fuegos
Crinados,
Sujetos
A manos
De vientos
Muy claros!

Por playas
En arco,
Rayadas
Al paso
Del agua,
Desbando
Mis ansias.

Se arrojan,
Muy blancas,
De rocas
A calas
De aurora
Muchachas
Dichosas.

¡Caribes
Afloran,
Y miles
De bodas
Rubíes
Tan rojas
Sonríen!

Yo digo:
—¿Ya hay libres
Estíos
Sin lindes
Tendidos?
—Ven, dice
Mi sino.

LA RENDICION AL SUEÑO

Sienes soñolientas.
Un vaho.
Cabecea
Torpemente la suavidad.
Hombros soñolientos.
Un vaho lento, más lento, lento.
Intimidad visible
Va ciñéndose al cuerpo.
El sillón se enternece todavía,
Se ahonda.
Brazos, manos se rinden.
O serán ya los brazos del sillón ¡ah, suavísimo!
Suavidad del mundo:
Se inclina un oleaje hacia una arena.
Dunas
Con luces de perezas,
Enternecidas dunas se derraman,
Numerosas, difusas,
Generales, suavísimas.
¡Cuántas rayas!
Paralelas acaso por la pared,
Se rinden,
Ceden ya, se relajan.
Una pululación amable de Invisibles

En el vaho se espesa.
Sucesiones de suertes profundizan espacios.
Niebla.
¿Hay grises de altitudes?
Barajas, nubes,
Caos. ¿Caos de Dios? Caos.

Lo informe se define, busca su pesadumbre.
Atestada cabeza
Pesa.
Avanzan, se difunden
Espesores:
Robustez envolvente, noche sólida,
Apogeo de las cosas,
Que circundan, esperan, insisten, persuaden.
¡Oh dulce persuasión totalizadora!
Todo el cuerpo se sume,
Con dulzura se sume entre las cosas.
¿No ser? Estar, estar profundamente,
Más y más ignorante
De ser profundamente a oscuras
Raíz muy reservada a su paciencia
Más activa,
Raíz
Que va sumando
Su silencio creciente y su fortuna:
Tierra, tierra. ¡Perderse al fin!

¿Perderse?

Solo en su más recóndito retiro,
Entre los pliegues
Del olvido
Ya sin roce,
Reinando sobre inmóviles
Tinieblas de conquista,
Desciende el ser hasta una paz
Por todo su universo amurallada.
Se olvida
Robustamente el ser, descansa
Mientras a su universo
Consagrándose está.
En clausura, muy lejos
Se infunde, se refunde, se posa al fin remoto,
Intacto rostro.
¡Nuevo, nuevo!
Intimidad visible
—¡Oh pulsación, oh soplo!—
Resguarda todo el cuerpo.
¿Para quién, para quién tan lejos,
Pulsación confidente?
¿Hacia dónde,
Recatos veladores,
Hacia dónde se aleja
La mirada,
Tan retraída y plena?
¿Hacia la seña
Clara
De otra verdad?

UNA VENTANA

El cielo sueña nubes para el mundo real
Con elemento amante de la luz y el espacio.
Se desparraman hoy dunas de un arrecife,
Arenales con ondas marinas que son nieves.
Tantos cruces de azar, por ornato caprichos,
Están ahí de bulto con una irresistible
Realidad sonriente. Yo resido en las márgenes
De una profundidad de trasparencia en bloque.
El aire está ciñendo, mostrando, realzando
Las hojas en la rama, las ramas en el tronco,
Los muros, los aleros, las esquinas, los postes:
Serenidad en evidencia de la tarde,
Que exige una visión tranquila de ventana.
Se acoge el pormenor a todo su contorno:
Guijarros, esa valla, más lejos un alambre.
Cada minuto acierta con su propia aureola,
¿O es la figuración que sueña este cristal?
Soy como mi ventana. Me maravilla el aire.
¡Hermosura tan límpida ya de tan entendida,
Entre el sol y la mente! Hay palabras muy tersas,
Y yo quiero saber como el aire de Junio.
La inquietud de algún álamo forma brisa visible,
En círculo de paz se me cierra la tarde,
Y un cielo bien alzado se ajusta a mi horizonte.

CIUDAD DE LOS ESTÍOS

Ciudad accidental
De los estíos. Damas
Sobre luz, bajo azul.

Sedas, extremas sedas
Insinúan, esquivan
Ángulos fugitivos.

Resbala en su riel
La recta. Corre, corre,
Corre a su conclusión.
        ¡Ay, la ciudad está
        Loca de geometría,
        Oh, muy elemental!
Con toda sencillez
Es sabio Agosto. Vértice,
Fatalidad sutil.

Por una red de rumbos,
Clarísimos de tarde,
Van exactas delicias.

Y a los rayos del sol,
Evidentes, se ciñe
La ciudad esencial.

EL CISNE

El cisne puro entre el aire y la onda,
Tenor de la blancura,
Zambulle el pico difícil y sonda
La armonía insegura.

¡Gárrulas aguas! Inútil pesquisa
De músico relieve:
Picos sin presas recoge la brisa
Que va tras lo más leve.

Quiere después con la voz el Esbelto
Desarrollar su curva.
¡Ay, discordante aprendiz, se ha resuelto
La soledad en turba!

Pero... ¡Callados los blancos! Se extrema
Su acorde: su fanal.
Todo el plumaje dibuja un sistema
De silencio fatal.

Y el cisne, fiel a través de una calma
De curso trasparente,
Contempla muda y remota su alma,
Deidad de la corriente.

SOL EN LA BODA

I

Lo quieren todos: ellos y el amor,
La fronda con sus nidos en la fiesta,
La calle con su cielo aclarador.
¡Hay tanta realidad tan manifiesta!

Triunfa un querer ya general, difuso,
Que reúne las formas en concierto
De señorío superior al uso.
¿Nivel de más belleza es menos cierto?

Flor y flor. La fragancia se derrama
Como ternura y como cortesía.
El aire mismo en torno de la dama
Ronda también. ¡Humano, la amaría!

Si una insinuada pompa muy ligera
Va ordenando el rumor y la figura,
Más resiste y se aviva hasta en la cera
La ilusión: derritiéndose madura.

Vacila contra el énfasis el paso
Reverente y jovial. Halaga un brillo
Por juego de la luz, de joya acaso,
O de tanto decoro que es sencillo.

Expectación. Sutil, una esperanza
Vivifica este empaque de riqueza.
Con placer de testigo se abalanza
La realidad al porvenir que empieza.

El cortejo desfila hacia lo ignoto.
A través de un color irrumpe un rayo
De vidriera en que apunta y late el voto,
Visible así, de un permanente Mayo.

Todas las actitudes —y su mucha
Libertad— participan de un estilo.
¡Palpitación de ceremonia en lucha
Con el afán que la mantiene en vilo!

Se templa, se depura la algazara
Contenida. ¡Gran bulto de suceso
Que el más remoto espíritu prepara!
Lo tan privado esplende así confeso.

Es dulce compartir el sol más claro,
Un ímpetu llevar a forma plena,
Y concentrarse más bajo el amparo
De la palabra que ante todos suena.

II

¿La eternidad sin nombre es quien perdura
Por entre novedades de perfiles?
Nuevamente aquí están con su aventura
Los dos eternos siempre juveniles.

Un admirable azar se determina
De suerte en suertes hacia su destino
—Y su final profundidad marina.
¿Hubo caos? Feliz. A un dios convino.

Hondos de claridades en secreto,
Van con su fe común los dos creyentes.
Un mundo se esclarece y tan discreto
Que gira entre los orbes coherentes.

Astro en confín. Es él quien se proclama
Definido entre límites de coro.
Suprema, con más luz, aquella rama
Goza también del término sonoro.

¡Oh claro amor! En ademán, en porte,
En gesto se condensa el claro ambiente,
Muy sensible a las ondas de su norte:
Un amor que tan público se siente.

Valerosos, enérgicos, tranquilos,
Caminan sin dudar hacia un futuro
Que tramándose está con estos hilos
De un presente en fervor de claroscuro.

Y los dos, sus poderes y sentidos
Prometiéndose, graves, muy correctos
Sobre el globo de tierra, sonreídos
Se adelantan. Son ellos los electos.

Son ellos. ¿Quiénes? Suavemente un dios
Se los reserva con prerrogativa
Que, mágica, trasforma ya a los dos
En otro ser: al persistir se esquiva.

El amor revelado se recata,
Incógnito, recóndito, remoto,
Y bajo la impaciencia más sensata
Los deseos mantienen su alboroto.

Majestuosa en transición risueña,
Hacia un astro y su círculo de sones
La música dirige, siempre dueña
Del gravitar de las constelaciones.

Su plenitud consuman los compases
En una sucesión nupcial que enlaza
Los destinos de quienes, voz sin frases,
Niegan el caos, vencen su amenaza.

No ignoran que se encumbran hasta el riesgo
Superior, a escondidas permanente.
¡Oh realidad: serás según el sesgo
Que por su contrapunto amor se invente!

Advirtiendo el peligro cara a cara,
Iluminados a la vez, pareja
Que a su deidad posible se entregara,
Los dos la ven en su interior refleja.

Instantes hay en que el amor se da
Por soberano, pero no es altivo
Ni reina lejos. Tanto Más Allá
Sólo en el alma ahincando está su estribo.

Instantes, horas, días en que el hombre
Se embriaga de ser. ¡Ah, ser en pleno
Con tal actualidad que el ser asombre:
Lúcida embriaguez sin mal ni freno!

Tanta existencia es fe: serán. Felices
Serán de ser: se aman. ¡Oh delicia
Desde la voluntad a las raíces
Últimas! El sol las acaricia.

Se hundirá el porvenir en esa pulpa
Deleitosa y doliente de los años.
¿Dolor? También. ¿Fatal? Ni se disculpa.
Todo, todos, ¡qué dentro! No hay extraños.

Amor sin evasión a paraíso,
Pálido de esperar a ser de veras,
Amor precipitado al más preciso
País real, presente y sin afueras.

Interior, necesariamente prieto,
Queda todo en el ámbito creado
Por los dos, implacables. Zumba el reto
Público. ¿Quién, hostil? Sumiso el hado.

¿Sumiso? No se engañan. Saben todo
Lo muy terrestre que será su ruta,
Rica de recta simple y de recodo
Quizá a merced de una intemperie bruta.

Acendrándose en vida cotidiana,
Entre reflejos ávidos de tierra,
—Luz que de sombras fluctuantes mana—
El amor inmortal en sí se encierra.

Y libres, como a solas, insensatos,
Con humildad videntes pero tercos,
Audaces a favor de sus recatos,
Los dos erigen —¡sí!— sus propios cercos.

III

Sobre el nogal de un banco se recrea
Como una madurez el tiempo hermoso.
Tiempo ¿de dónde? Ni ciudad ni aldea.
Por sí mismo el espacio en su reposo.

Reloj: aquí. Ya aguarda aquella alfombra
Que aconseja, conduce, solemniza.
Si en su esplendor la juventud asombra,
¿Qué importará a su fuego la ceniza?

Habite en alma y cuerpo la ventura
Que esparciéndose está por el ambiente.
No dos destinos, uno. ¿Quién no augura
Profundidad de júbilo valiente?

Jugadores, arriesgan: van gozosos.
¡Cuánto supuesto en su silencio denso!
¡Tan callados, tan cómplices, qué esposos!
Ceremonia. Posible hasta el incienso.

La música despliega en claridades
Las ilusiones del sonido mismo.
Pendientes de los cielos hay ciudades
Vencedoras. Resaltan con su abismo.

La vida ha edificado su pareja:
Fuerte, dichosa, joven, atrevida.
¡Cuántos, los dones! Y ninguno deja
De cantar, a compás del coro, vida.

Vida normal con lentitud de mucha
Pasión bien soterrada en ejercicio
De costumbre y su diálogo y su lucha.
Vida por fe, fulgor de todo juicio.

¡Oh fiesta, sonreír privilegiado!
Culmina el universo en ese talle,
En esa tez... Mas sobre losa y prado
Tiende el rumor al ruido de la calle.

Mezclándose al murmullo del gentío,
Por entre los castaños de la acera
Se acrece una ansiedad que pide estío
Pródigo, colmador de cada espera.

Y los ojos persiguen la triunfante
Vida en su desnudez, en su esperanza.
La sombra es de la fiesta y va delante
Del gran amor que hacia más sol avanza.

TIEMPO LIBRE

¿Apartamiento? Campo recogido
Me salve frente a frente
De todo.

Jardín, no. Sin embargo...
Una atención de experto
Vigila,
Favorece esta pródiga ocurrencia.
¿Artificio de fondo?
Delicia declarada.
El césped
Nos responde a los ojos y a los pies
Con la dulzura de lo trabajado.

Yo. Solo.
¿Será posible aquí
—Centro ya fatalmente—
Una divagación, y solitaria?
Todo conmigo está,
Aunque no me columbre nadie ahora
Con sus ojos de insecto,
Su arruga de corteza,
Su ondulación de sol.

Siempre, siempre en un centro —que no sabe
De mí.
Seguro de alentar entre existencias
Con presión de calor tan evidentes,
Heme aquí solidario
Del día tan repleto,
Sin un solo intersticio
Por donde se deslice
La abstracción elegante de una duda.

Duden con elegancia los más sabios.
Yo, no. ¡Yo sé muy poco!
Por el mundo asistido,
Me sé, me siento a mí sobre esta hierba
Tan solícitamente dirigida.
¡Jornalero real!
También de mi jornada jornalero,
Voy pisando evidencias,
Verdores.

Esos verdores trémulos clarean
Plateándose, fúlgidos
Bajo el sol, hacia el sol allí pendiente:
El álamo es más álamo.
De pronto
Se oscurece el rincón, las hojas pálidas.
Y el álamo despunta
Más juvenil aún:
Su delgadez se afila.

Vigor, y de verdores.
Bajo la mano quedan.
Hojas hay muy lucientes
Y oscuras.
¡Rododendros en flor!
Extendidos los pétalos,
Ofreciéndose al aire los estambres,
Muy juntos en redondo,
La flor es sin cesar placer de amigo.

En las tan entregadas
Corolas
Se zambullen avispas, abejorros,
Y con todo el grosor
Menudo de su cuerpo
—Venid—
Pesadamente sobre los estambres
Gravitan
Durante unos segundos exquisitos.

¡Oh danza paralela al horizonte!
Velocísima, brusca,
Se estremece ondulándose
La longitudinal
Libélula
Del atolondramiento.
Y un instante se posa entre sus alas
De rigor tan mecánico,
Y aturdiéndose irrumpe.

Así volante no verá esos grupos
De un amarillo altivo
Que avivan
Los rojos de su centro
Floral.
¡Cómo los quiere el aire soleado!
Aire que ignora entonces
Tanta flor diminuta
Recatada por hierbas.

Hierbas y hierbas. Con su hacinamiento
Me designan el soto:
Gran profusión en húmeda penumbra
De más calor, inmóvil.
¡Imperio del estío! —No absoluto:
Un agua.
Alguien quizá asustado brinca. Golpe
De repente y su estela. Son concéntricos
Círculos. ¿Una rana? Con su incógnita.

Estanque.
Vuelan, si no patinan,
—¿Buscando, ya jugando?—
Versátiles mosquitos presurosos.
Mosquitos: realidad también. ¡Qué extensa!
Poseo —no soñando— su hermosura,
Su plenitud de julio.
(¡Oh calidad real,

Oh sumo privilegio
Que adoro!) Centellean pececillos
De una estúpida calma,
O agitándose en quiebros
Con sus ángulos súbitos
Que enfoca el sol: un haz
Dirigido a esta cima,
Este claro del agua, temblorosa
De múltiple reflejo
Sobre el zigzag del pez.
Onda, reflejo, variación de fuga:
Agua con inquietud
De realidad en cruces.
Veo bien, no hay fantasmas,
No hay tarde vaporosa para fauno.
Acción de trasparencia me confía
Su vívido volumen. ¡Cómo atrae!
Ya la mirada se demora, yerra
Por una superficie que me expone
Con humildad la más sencilla hondura.
¿No hay nada? Nada apenas. ¿Un espejo?
Sobre el estanque y su candor me inclino.
¿Y si tal vez apareciese un rostro,
Una idea de rostro sobre el agua,
Y ante mí yo viviese, doble a gusto?
El estanque, novel pintor, vacila.
¿Alguien está naciendo, peleando?
Comienza a estremecérseme un testigo,
Dentro aún de mi propia soledad.

¿O es otro quien pretende así, tan torpe,
Desafiar mi vista y mi palabra
Desde fuera de mí, que le contengo?
Tiéndase, pues, visible entre las cosas.
¡Ah, que este sol concrete una apariencia!
Agua-espejo: ¿lo eres? Heme aquí.
Yo.
¿Por fin?
Yo.
¿Ahora?
Turbio espejo...
El agua no me quiere, se rebela,
Trivial, contra el semblante que le brinda
La conjunción de un hombre con la luz.
Entonces... ¡Bah! No importa. Mi capricho
No turbará —¡mejor!— las inocencias
Sabias, muy sabias de ese plano trémulo.
¡Contemplación risible de sí mismo,
Deleitarse —quizá morosamente—
O hablar en alta voz a la figura
Que yo sería con sustancia ajena!
Imposible careo sin sonrojo.
Feliz o no, ¡qué importa mi conato
De fantasma! ¿Fantasma? No consigue
Remontarse a tan leve ministerio.
¡Ay! Ya sé que ese esbozo sin final
Temblando con las ondas me diría:
Quiéreme. —¡No! Así yo no me acepto.
Yo soy, soy... ¿Cómo? Donde estoy: contigo,

Mundo, contigo. Sea tu absoluta
Compañía siempre.
¿Yo soy?
Yo estoy
—Aquí, mi bosque cierto, desenlace
De realidad crujiente en las afueras
De este yo que a sí mismo se descubre
Cuando bien os descubre: mi horizonte,
Mis fresnos de corteza gris y blanca,
A veces con tachones de negrura.
Yo, yo soy el espejo que refleja,
Vivaces, los matices en mi fondo,
También pintura mía. ¡Rico estoy
De tanta Creación atesorada!
Profundamente así me soy, me sé
Gracias a ti, que existes.
Me predispone todo sobre el prado
Para absorber la tarde.
¡Adentro en la espesura!
Como una vocación que se decide
Bajo esa estrella al propio ser más íntima,
Mi destino es salir.
Yo salgo hacia la tarde
Que muy dentro me guarda,
Dentro de su verdad resplandeciente,
De este calor de siesta,
De este prieto refugio,
Más remoto en su pliegue de frescura,
—Hayas, hojas de cobre

Por alguien esculpidas—
Frente a ese surtidor que nunca cesa
De ascender y caer en un murmullo
Batido por espumas,
Por chispas.
¡Cómo brillando saltan y sonando
—A merced de ese viento que es un iris—
Para todas las ondas del estanque!

Soy yo el espejo. Vamos.
Reflejar es amar.
. . .Y un amor se levanta en vuestra imagen,
¡Oh pinos! —con aroma
Que se enternece despertando restos
De mi niñez interna.
Allá, bajo el verdor inmarcesible,
Una tierra mullida por agujas.
¡Pinar!

La realidad alcanza
Su más claro apogeo, su hermosura.
¡Floresta! Surge hermosa, femenina
La aparición: escorzo que hacia mí
Promete,
Bajo una luz común, iluminarse,
Esclarecer su mocedad. Sí, sola,
Y por el campo en julio,
Por la vasta alegría, por el ocio.

Despacio,
Con el ligero empaque
Digno de la belleza,
Con la desenvoltura
Que atina,
¿Y ya próxima a mí?
Distante en reservada actualidad,
En su nimbo de sol embelesado,
Pisa el césped, se aleja.

¡Qué certidumbre de potencia cálida,
De forma en henchimiento,
En planta y prontitud!
La piel con su color de día largo,
El cabello hasta el hombro.
¿Para qué modelada
Durante el fortuïto
Minuto
De visión? —Te querría.

La muchacha se aleja, se me pierde.
Profunda entre los árboles
Del soto,
Se sume en el terreno,
Bellísimo.
¡Cuánto lazo y enlace
Con toda la floresta, fiel nivel
De esa culminación
Regente!

Asciende mi ladera
Sin alterar su acopio de silencio.
Llamándome
Se ahonda el vallecillo.
Susurro.
En una rinconada de peñascos,
De la roca entre líquenes y helechos
Rezuma
Con timidez un agua aparecida.

Es un surgir suavísimo de orígenes,
Que sin pausa preserva
La mansedumbre del comienzo puro:
Antes, ahora, siempre
Nacer, nacer, nacer.
Una evaporación de gracias ágiles
Domina.
Más frescor se presiente, y en su joya.
Fatal: otra doncella.

¿De un estío no rubio? Pero erguida,
Sin querer invadiendo y no benévola,
Toda ajustada al aire que la ciñe,
Toda, toda esperando
La fábula que anuncia.
¿Pasó? Pasó. Contigo
Mi júbilo, mi fe.
Me invade la delicia
De ti.

Anchura de la Tierra en variedad:
Respondo
Con amor a tus dádivas posibles.
He aquí más... Y cantos sobre arena.
También el arroyuelo,
Que se dispone a ser, ya me cautiva.
Y tú, chiquito y bronco. ¡Te saludo,
Oh pájaro discorde!

Libre será mi tiempo
De veras derramándose entre muchos,
Escalas hacia todos.
Soy vuestro aficionado, criaturas.
Aficionado errante,
¡Ay! que me perdería
Si tú no me salvaras,
Gloriosa,
Tensión providencial de sumo abrazo.

Yo te veo presente en la floresta
Por donde
Tú continua, sin forma aquí, refulges.
El tiempo libre se acumula en cauce
Pleno: tú, mi destino.
Me acumulo en mi ser,
Logro mi realidad
Por mediación de ti, que me sitúas
La floresta y su dicha ante mi dicha.

¡Cuánto impulso estival!
El cielo, que es humano, palidece.
El aire no, no deja por la fronda
De sonar como espíritu,
De ejercer su virtud
—Nunca invisible— de metamorfosis.
Frágil y en conmoción,
¡Cuánto equilibrio al fin —y deshaciéndose—
Que gana!

Hojas menudas. ¿Roble?
Fino el árbol fornido.
Retorciendo el ramaje desparrama
Su paz.
Murmullos de arboledas y aguas vivas
Se funden en rumor que va salvando,
Sosteniendo silencios.
Paz de tierras, de hierbas, de cortezas
Para el tiempo, ya libre.

Andando
Voy por entre follajes,
Por su sombra en sosiego sin mi sombra.

ANILLO

I

Ya es secreto el calor, ya es un retiro
De gozosa penumbra compartida.
Ondea la penumbra. No hay suspiro
Flotante. Lo mejor soñado es vida.

¡Profunda tarde interna en el secreto
De una estancia que no se sabe dónde
—Tesoro igual con su esplendor completo—
Entre los rayos de la luz se esconde!

El vaivén de un silencio luminoso
Frunce entre las persianas una fibra
Palpitante. Querencia del reposo:
Una ilusión en el polvillo vibra.

Desde la sombra inmóvil la almohada
Brinda a los dos felices el verano
De una blancura tan afortunada
Que se convierte en sumo acorde humano.

Como una brisa orea la blancura.
Playa se tiende, playa se abandona.
Un afán más umbrío se aventura
Vagando por la playa y la persona.

Los dos felices, en las soledades
Del propio clima salvo del invierno,
Buscan en claroscuros sin edades
La refulgencia de un estío eterno.

Hay tanta plenitud en esta hora,
Tranquila entre las palmas de algún hado,
Que el curso del instante se demora
Lentísimo, cortés, enamorado.

Honda acumulación está por dentro
Levantando el nivel de una meseta,
Donde el presente ocupa y fija el centro
De tanta inmensidad así concreta.

Esa inquietud de sol por la tarima,
—Sol con ese zumbido de la calle
Que sitiando al silencio le reanima—
Esa ansiedad en torno al mismo talle,

Y de repente espacio libre, sierra,
A la merced de un viento que embriaga,
El viento más fragante que destierra
Todo vestigio de la historia aciaga,

¿Dónde están, cuándo ocurren? No hay historia.
Hubo un ardor que es este ardor. Un día
Solo, profundizado en la memoria,
A su eterno presente se confía.

II

Aunque el deseo precipita un culto
Que es un tropel absorto, da un rodeo
Y en reverencia cambia su tumulto,
Sin cesar renaciente del deseo.

Sobre su cima la hermosura espera,
Y entregándose toda se recata
Lejos —¿cómo ideal y verdadera?—
Tan improbable aún y ya inmediata.

¡Es tan central así, tan absoluta
La Tierra bien sumida en universo,
Sin cesar tan creado! ¡Cuánta fruta
De una sazón en su contorno terso!

El amor está ahí, fiel Infinito
—No es posible el final— sobre el minuto
Lanzando de una vez, aerolito
Súbito, la agresión de lo absoluto.

¡Oh súbita dulzura! No hay sorpresa,
Tan soñado responde el gran contento.
Y por la carne acude el alma y cesa
La soledad del mundo en su lamento.

III

¡Gozo de gozos: el alma en la piel,
Ante los dos el jardín inmortal,
El paraíso que es ella con él,
Óptimo el árbol sin sombra de mal!

Luz nada más. He ahí los amantes.
Una armonía de montes y ríos,
Amaneciendo en lejanos levantes,
Vuelve inocentes los dos albedríos.

¿Dónde estará la apariencia sabida?
¿Quién es quien surge? Salud, inmediato
Siempre, palpable misterio: presida
Forma tan clara a un candor de arrebato.

¿Es la hermosura quien tanto arrebata,
O en la terrible alegría se anega
Todo el impulso estival? (¡Oh beata
Furia del mar, esa ola no es ciega!)

Aun retozando se afanan las bocas,
Inexorables a fuerza de ruego.
(Risas de Junio, por entre unas rocas,
Turban el límpido azul con su juego.)

¿Yace en los brazos un ansia agresiva?
Calladamente resiste el acorde.
(¡Cuánto silencio de mar allá arriba!
Nunca hay fragor que el cantil no me asorde.)

Y se encarnizan los dos violentos
En la ternura que los encadena.
(El regocijo de los elementos
Torna y retorna a la última arena.)

Ya las rodillas, humildes aposta,
Saben de un sol que al espíritu asalta.
(El horizonte en alturas de costa
Llega a la sal de una brisa más alta.)

¡Felicidad! El alud de un favor
Corre hasta el pie, que retuerce su celo.
(Cruje el azul. Sinuoso calor
Va alabeando la curva del cielo.)

Gozo de ser: el amante se pasma.
¡Oh derrochado presente inaudito,
Oh realidad en raudal sin fantasma!
Todo es potencia de atónito grito.

Alrededor se consuma el verano.
Es un anillo la tarde amarilla.
Sin una nube desciende el cercano
Cielo a este ardor. ¡Sobrehumana, la arcilla!

IV

¡Gloria de dos! —sin que la dicha estorbe
Su repliegue hacia el resto de lo oscuro.
En torno de la almohada ronda el orbe,
Vive la flor sobre el papel del muro.

Un cansancio común se comunica
Por el tendido cuerpo con el alma,
Que se tiende también a solas rica,
Ya en posesión de aquella doble calma.

¡Es un reposo de tan dulce peso,
Que con tanta molicie cae, cede,
Se hunde, profundiza el embeleso
De dos destinos en la misma sede!

Hombres hay que destrozan en barullo
Tristísimo su voz y sus entrañas.
Sin embargo... ¿No escuchas el arrullo
Reparador del aire entre las cañas?

¡El aire! Vendaval o viento o brisa,
Resonando o callando, siempre existe
Su santa desnudez. ¿No la divisa
Con los ojos de un dios hasta el más triste?

V

Y se sumerge todo el ser, tranquilo
Con vigor, en la paz del universo,
La enorme paz que da a la guerra asilo,
Todo en más vasta pleamar inmerso.

Irresistible creación redonda
Se esparce universal como una gana,
Como una simpatía de onda en onda
Que se levanta en esperanza humana.

Arroyo claro sobre peña y guijo:
¿Para morir no quieres detenerte?
Amor en creación, en flor, en hijo:
¿Adónde vas sin miedo de la muerte?

Hermoso tanto espacio ante la cumbre,
Amor es siempre vida, sólo vida.
No hay mirada amorosa que no alumbre
Su eternidad. Allí secreta anida.

¡Oh presente sin fin, ahora eterno
Con frescura continua de rocío,
Y sin saber del mal ni del invierno,
Absoluto en su cámara de estío!

¡Increíble absoluto en esa mina
Que halla el amor —buscándose a lo largo
De un tiempo en marcha siempre hacia su ruina—
A la cabeza del vivir amargo!

Tanto presente, de verdad, no pasa.
Feliz el río, que pasando queda.
¡Oh tiempo afortunado! Ved su casa.
Este amor es fortuna ya sin rueda.

Bien ocultos por voces y por gestos,
Ágiles a pesar de tanto lazo,
Viven los dos gozosamente opuestos
Entre las celosías de su abrazo.

En la penumbra el rayo no descansa.
La amplitud de la tarde ciñe inmensa.
Bajo el secreto de una luz tan mansa,
Amor solar se logra y se condensa.

Y se yerguen seguros dos destinos
Afrontando la suerte de los días,
Pedregosos tal vez o diamantinos.
Todos refulgirán, Amor, si guías.

¡Sea la tarde para el sol! La Tierra
No girará con trabazón más fuerte.
En torno a un alma el círculo se cierra.
¿Por vencida te das ahora, Muerte?

DESNUDO

Blancos, rosas. Azules casi en veta,
    Retraídos, mentales.
Puntos de luz latente dan señales
    De una sombra secreta.

Pero el color, infiel a la penumbra,
    Se consolida en masa.
Yacente en el verano de la casa,
    Una forma se alumbra.

Claridad aguzada entre perfiles,
    De tan puros tranquilos,
Que cortan y aniquilan con sus filos
    Las confusiones viles.

Desnuda está la carne. Su evidencia
    Se resuelve en reposo.
Monotonía justa, prodigioso
    Colmo de la presencia.

¡Plenitud inmediata, sin ambiente,
    Del cuerpo femenino!
Ningún primor: ni voz ni flor. ¿Destino?
    ¡Oh absoluto Presente!

EL HORIZONTE

Riguroso horizonte.
Cielo y campo, ya idénticos,
Son puros ya: su línea.

¡Perfección! Se da fin
A la ausencia del aire,
De repente evidente.

Pero la luz resbala
Sin fin sobre los límites.
¡Oh perfección abierta!
    Horizonte, horizonte
    Trémulo, casi trémulo
    De su don inminente.
Se sostiene en un hilo
La frágil, la difícil
Profundidad del mundo.

El aire estará en colmo
Dorado, duro, cierto.
¡Trasparencia cuajada!

Ya el espacio se comba
Dócil, ágil, alegre
Sobre esa espera —mía.

ENTRE LAS SOLEDADES

Me cobija un cerrado recinto a libre cielo.
Las murallas son tierra. Moles hay vegetales.
Fresco verdor consigue su oscura solidez.
A veces las murallas se reducen a grises
Canteras matutinas, y entonces me aventuro
Por algún corredor de amanecer flotante.
Después el valle otorga su entereza, tan íntima
Frente a la magnitud del viento y la montaña.
Tal realidad lo es tanto que también al esquivo
Circunda compañía. Múltiples soledades
Son quienes me sostienen alerta sobre el término
Más desenmarañado del número en tumulto.
Con lontananzas vivo, puras y familiares.
Mi atención aproxima los montes y sus nubes,
Las nubes ya fraternas en hermandad solar,
A través de una atmósfera común de frío lúcido,
Frío con sol de agosto serenado hacia octubre.
Entre esos herbazales como tardías mieses,
Enramado el arroyo que espuma da a sus peñas,
Aun más amigo soy de ese mundo compacto
Más allá de la mente, fuera de la altivez,
En esta elevación que no impide el silencio
—A no ser con un bajo desliz de golondrina.
¡Amplitud del favor entre las soledades!

EL CONCIERTO

El tiempo se divide resonando.
¡Ah! Se levanta un mundo
Que vale, se me impone, me subyuga
Con su necesidad.
Es así. Justamente,
Según esta delicia de rigor,
Ha de ser en el aire:
Un mundo
Donde yo llego a respirar con todos
Mis silencios acordes.

Sumiso a ese fluir de voluntad,
Escucho.
Mi atención es mi alma.
Convivo
Con esta convergencia de energías
En su resolución.
¿Qué dice, que propone?
Se propone, se muestra,
Se identifica a su absoluto ser.

Absoluto de instantes,
El uno para el otro ya inminente.
Todo el ser en fluencia,

De sonido a intervalo situado.
Y todo se desliza,
Coexiste seguro, deleitable,
—¡Qué espera, qué tensión, qué altura ya!—
Mientras en la memoria permanece,
Confín de mi placer,
Una totalidad de monumento.

En su temple el espíritu,
Desde su cima escucha,
Más fuerte, más agudo
Que abajo,
Entre arrugas y ruidos.
Escucha un hombre sin querer ya nuevo,
Ya interior a ese coto de armonía
Que envuelve como el aire:
Con mi vivir se funde.
¿Con mi propio vivir?
¿Ahora seré yo,
Yo mismo a mi nivel,
Quien vive con el puro firmamento?
Me perteneces, música,
Dechado sobrehumano
Que un hombre entrega al hombre.

No hay discordia posible.
El acaso jamás en este círculo
Puede irrumpir, crujir:
Orbe en manos y en mente

De hacedor que del todo lo realiza.
¡Oh música,
Suprema realidad!
Es el despliegue mismo
—Oíd— de un firmamento
—Lo veis— que nos recoge.
Nada sonoro ocurre
Fuera. Ya ¿dónde estamos?

(Música y suerte: cámara
De amigos.
La tarde es el gran ámbito.
Aliada a través de las vidrieras,
Profunda,
Consagrándose a estar,
Estando,
Sin oír nos atiende.
¿Tal vez culmina aquí
La final amistad del universo?
Muy diáfana la atmósfera,
Arboleda en un fondo de balcones,
Las ondas del nogal en la penumbra
De ese mueble, tarima sin crujido,
Un tono general, acompañante.
Seguro este presente.)

¿Dónde, por dónde estamos?
Me sostiene una cumbre
—Sobre cualquier lugar. ¿Qué pide el ritmo?

No responde a su anhelo, no se basta
Con toda su belleza ineludible,
Y torna con retorno que suplica,
Tal vez a mí buscándome.
El alma se abalanza a ese compás,
Que es alma.

¡Oh Bien! Y se desnuda.
Le siento sin ideas, sin visiones,
Reveladoramente,
Nada más por contacto
Con mi naturaleza,
Que acompasada ahonda en su vivir,
En su dominio o su melancolía,
En este ser ahora tan entero,
Tan firme que es de todos.
¡Ninguna confidencia!
La sucesión de sones,
Jamás en soledad,
Sin ruptura de olvido,
Pasa relacionando el gran conjunto
—Donde trascurre incógnito el oyente,
Solidario en alerta.

Alerta dominada.
¡Música, poderío!
Y me fía a sus cúspides,
Me colma de su fe,
Me erige en su esplendor,

Sobre el último espacio conquistable,
Me tiende a su ondear de creaciones,
Junto al más fresco arranque de alegría,
Me expone frente a frente
De la gran realidad en evidencia,
Y con su certidumbre me embriaga.
¡Armonía triunfante!
Imperando persiste,
Hermosamente espíritu.
Es él, es él, es todo su inmediato
Caudal.

En una gloria aliento.
Porque tanto se eleva sobre mí,
Perfección superior a toda vida
Me rige.
¡Oh música del hombre y más que el hombre,
Último desenlace
De la audaz esperanza!

Suena, música, suena,
Exáltame a la orilla,
Ráptame al interior
De la ventura que en el día mío
Levantas.
Remontado al concierto
De esta culminación de realidad,
Participo también de tu victoria:
Absoluta armonía en aire humano.

NOCHE DEL GRAN ESTÍO

¡Qué de amarillos conjura,
Lecho, tu oscura ventura!

Mi tacto siente amarillo
Lo que ya sabe sin brillo

La mirada escrutadora
De la tiniebla incolora.

Cubre al mundo todavía
La piel de algún mediodía.

¿Un mediodía de luz,
O de taurino testuz

Que hasta el zigzag del siniestro
Levanta la luz del diestro?

Peor: la ignición de un caos.
Se queman fiebres y vahos

Que me ajustan en anillos
Tiernos soles amarillos.

¡Tanto día astral me acota
De la huerta más remota

Con su hueco la ventana:
La más pomposa hortelana!

Y me punzan las estrellas
Con amarillas centellas.

¡Ah! Si el sueño, sibarita,
No me socorre en mi cuita,

Gritaré al viento ¡socorro!
Y a las lluvias ¡ay, socorro!

Que toda la noche brilla
Con calentura amarilla,

¡Ay, amarilla, amarilla,
Ay, amarilla, amarilla!

LECTURA

No está ya solo el cielo con la nube
Que blandamente vaga,
Sin cesar trasformándose a la zaga
De su propio querube,

Ese querube del capricho a punto
De aparecer en medio
Del día. ¿Qué? ¿No afrontará el asedio
—Tan suave— del conjunto?

Dura el conjunto. Suavemente sabe
Persistir imperioso.
¿Plenitud se merece este reposo?
Basta un hombre por clave.

Alrededor de un hombre que camina
Confiado, seguro,
La realidad no espera su futuro
Para ser más divina.

Insistencia visible de una mano
Que acaricia, que ama.
¡Los trigos! Es la mies en panorama
Bajo el viento de un llano.

Ama el viento. ¡Los chopos! Y una hoja
Realzará el instante.
¿Conjunto? Lo será de veras ante
Quien sin ver lo recoja.

Un hombre lee. Todo le rodea
La página en lectura.
¡Íntegro estío bajo el sol! Madura
La paz. ¿Jamás pelea?

En la página el verso, de contorno
Resueltamente neto,
Se confía a la luz como un objeto
Con aire blanco en torno.

¡Oh bloque potencial! Así emergente
De blancura, de gracia,
Lleva los signos más humanos hacia
Los cielos de la mente.

Aun camina el lector, y ya abstraído,
¿Quién dirige su paso?
Los renglones —mirad, de Garcilaso—
Palpitan: son un nido.

¡Paseante por campo que él se labra,
Paseante en su centro,
Con amor avanzando ya por dentro
De un todo que es Palabra!

OTOÑOS

OTOÑO, PERICIA

Perfilan
Sus líneas
De mozos
Los chopos,
Vívidas
Pupilas,
Aplomo
Sin bozo.
¡Huída
La umbría!

A lomos
De arroyos
Se esquivan
Las briznas.
Notorios
Contornos,
Jaurías,
Traíllas.
¡De hinojos
Los monstruos!

Mejillas
Propicias
Al modo
Moroso
Me brinda
La amiga,
Cogollo
Del gozo.
¡Pericia
De otoño!

OTOÑO, CAÍDA

Caen, caen los días, cae el año
Desde el verano

Sobre el suelo mullido por las hojas,
Cae el aroma

Que errando solicita la atención
Del soñador.

Atento el soñador, a pie, despacio
Va contemplando

Cómo en los amarillos de la flora
La luz se posa,

Reconcentrada ya en la claridad
De un más allá.

Más acá se difunde por la atmósfera
Casi una gloria

Que es ya interior, tan íntima al amparo
De los castaños,

Tan dulcemente abandonada al sol
Del peatón.

Con ondas breves de silencio el lago
Llega hasta el prado,

Propicio a recibir algunas ondas
De remadoras,

Apariciones que a los sueños dan
Cuerpo real.

Y el soñador y el sol, predestinados
Por tanto hallazgo,

Se exaltan con asombro ante las frondas
Cobrizas, rojas

De esos arces divinos en furor
De donación.

EL DISTRAÍDO

¡Qué bien llueve por el río!

Llueve poco y llueve
Tan tiernamente
Que a veces
Vaga en torno de un hombre la paciencia del musgo.
A través de lo húmedo
Punzan, huyen amagos
De presagios.

Amable todavía por los últimos
Términos arbolados,
Un humo
Va dibujando
Yedras.
¿Para quién de esta soledad? ¿Para el más vacante?
Alguien,
Alguien espera.
Y yo voy —¿quién será?— por el río, por un río
Recién llovido.

¿Por qué me miran tanto
Los álamos,

Si apenas los ve mi costumbre?
En su silencio el abandono alarga la rama
Deshabitada.
Pero flora cortés aun emerge sobre un agua
De octubre.

Yo por el verde liso
Voy,
Voy buscando a los dos
Aquí perdidos:
Al pescador atento que, muy joven,
De bruces
En la ribera, nubes
Recoge
De la corriente, distraídas,
Y al músico pródigo que, sin mucha pericia,
Por entre las orillas
Va cantando y dejando las palabras en sílabas
Desnudas y continuas,
La ra ri ra,
                ta ra ri ra,
                                la ra ri ra...
¡Entre dientes y labios
He de tener al tiempo!

Sin mirar contemplando,
Aquí no, más allá de la mirada
Sí veo.
Yo sé de un río en que por la mañana

Flotan, se cruzan
Curvas
De márgenes.
Errantes
A punto de no ser, ¿adónde
Van las yedras, hacia qué torres
De nadie?

A través de lo húmedo
Se abren
Túneles con anhelo de extramuros:
Hacia puentes amantes,
Hacia caminos bajo algún follaje,
Hacia refugios
De lejanía en valles.

¡Embeleso tarareado!
¡Cómo sueña la voz que se tumba en el canto
Perdido,
Tan perdido y fluído hacia ensanches de días
Sin lindes, resbalados!
Lararira,
            lararira,
                        lararira...
El curso del río
Conduce.
Las nubes,
Desmoronándose tranquilas,
Guardan su lentitud, no se detienen,

Y me acercan los cielos
En una sucesión sin pesadumbre
De eterno firmamento.

¡Cortas, urgentes
Verticales de lluvia, haz de apuntes!
Llueve y no hay malicia,
Llueve.
Lararira. . .
Oigo caer esas gotas
Que se derraman, sin fuerza de globos,
Sobre las últimas hojas
Crujidoras,
Aun pendientes del otoño.

En tanto, sucediéndose visibles las burbujas,
El río reúne y ofrece un arrullo
Continuo, seguro.
¿Nadie escucha?
Para mí, para mí todo el amor del musgo.
¡Ventura:
Alma tarareada goza de río suyo!

LA ESTRELLA DE VENUS

Un tren: silbido, ráfaga.
¡Desgarrado el poniente!
Lejanías humean.
Y en montón de horizonte
Se agolpan calcinándose
Las nubes de aquel soto.

Sobre las frondas penden
Violentos, soberbios
Dominios de carmines.

Tanto ardor se impacienta,
Oro se esparce en ascua,
Va a sonar el metal.

¿Y el día? Corren luces
Con agresión de júbilo.
¿Suya la tierra en sombras?

Hay siempre luz. El cielo
Próximo brinda playas.
Sale Venus. ¡Allí!
Y el cuerpo del amor
—Femenino, celeste—
Consolará a la noche.

AQUEL JARDÍN

*Para mis amigos de **aquel** Alcázar*

Muros.
        Jardín bien gozado
Por los pocos.
        ¡No hay pecado!

Perfección ya natural.
Jardín: el bien sin el mal.

¡Buen sosiego! No hay descanso.
Tiembla el agua en su remanso.

Tan blanca está esa pared
Que se redobla mi sed.

En más agua la blancura
De la cal se trasfigura.

¡Fresquísima perfección!
La fuente es mármol y son.

Animal que fuese planta,
El surtidor se levanta.

¡Sílfide del surtidor,
Malicia más que temblor!

Canto en el susurro suena
Si en mi soledad no hay pena.

¿Pena tal vez? A un secreto
De penumbra me someto.

Huele en secreto y me embarga
Con su olor la hoja amarga.

¡Ay! Las dichas me darán
Siempre este olor de arrayán.

Tengo ya lo que no tuve:
Mucho azul con poca nube.

El sol quiere que esta calma
Sea la suprema palma.

Muros.
          Jardín.
                    Bien ceñido,
Pide a los más el olvido.

AGUARDANDO

Ya ni puede mirar los nubarrones
Que avanzan sobre un mundo que a él le duele.
Si joven el color, solemne el cielo,
Crepuscular para exaltarlo todo
—Menos a él, minúsculo en su pena.
Por entre los faroles que le alumbran
Ese apresuramiento a pie cansado,
Él no ignora que allí con su mirada
Se alzaría maestro de verdades
A nivel de las fábulas que impulsa
La manifestación de aquel poniente.
Para ascender a la mitología,
Con dioses presidir, ser un arcángel,
Otear bastaría desde un alma
La tarde en esta crisis de apogeo
Que derrumba su alud: este minuto
De un esplendor que es ya su despilfarro.
Él no mira. Se angustia, se oscurece,
Aislado en el ahogo de un tormento.
No hay dilación, no hay márgenes, no hay ríos.
(¡Libres riberas de quien se abandona!
¡Mirar para admirar!) No existe nada
—En torno al corazón acongojado.
¿O será que al respiro no va aquel

Aire en contacto con las lejanías
Del arrebol y sus dominios fúlgidos?
Cristal hay que recoge el centelleo
De los rayos finales y, feliz,
Se ciega en la explosión paradisíaca,
Delira bajo el súbito amarillo,
Es sol también. Amor, y todo es uno.
Llega el puente a ser más: gran atalaya
De estos cielos. ¡Oh multiplicaciones
De los cielos en dádiva incesante
Para muchos! Él, él ¿no es de los muchos?
Aun presuroso, desde aquellas tablas
De puente muy propicio a buen ocaso,
Por fatal cortesía ve, saluda
Sin apenas mirar aquel derroche,
Tan rico entre la nube y el recuerdo,
Y a ciegas se dirige hacia un crepúsculo
Sin hermosura entonces practicable.
¡Dolor! El resignado, ya impaciente,
Aguarda el turno de su fase libre,
De su poder de vibración acorde.

NAVIDAD

Alegría de nieve
Por los caminos.
¡Alegría!
Todo espera la gracia
Del Bien Nacido.

Miserables los hombres,
Dura la tierra.
Cuanta más nieve cae,
Más cielo cerca.

¡Tú nos salvas,
Criatura
Soberana!

Aquí está luciendo
Más rosa que blanca.
Los hoyuelos ríen
Con risas calladas.

Frescor y primor
Lucen para siempre
Como en una rosa
Que fuera celeste.

Y sin más callar,
Grosezuelas risas
Tienden hacia todos
Una rosa viva.

¡Tú nos salvas,
Criatura
Soberana!

¡Qué encarnada la carne
Recién nacida,
Con qué apresuramiento
De simpatía!

Alegría de nieve
Por los caminos.
¡Alegría!
Todo espera la gracia
Del Bien Nacido.

CABALLOS EN EL AIRE

(CINEMATÓGRAFO)

Caballos.
Lentísimos partiendo y ya en el aire,
¿Van a volar tal vez?

La atmósfera se agrisa.
¡Cuánto más resistente
Su espesura más gris!
Con lentitud y precaución de tacto
Las patas se despliegan
Avanzando a través
De una tarde de luna.
Muy firme la cabeza pero sorda,
Más y más retraída a su silencio,
Las crines siempre inmóviles
Y muy tendido el lomo,
Los caballos ascienden.
¿Vuelan tal vez sin un temblor de ala
Por un aire de luna?
Y sin contacto con la tierra torpe,
Las patas a compás
—¿Dentro de qué armonía?—
Se ciernen celestiales,
A fuerza de abandono misteriosas.
¿O a fuerza de cuidado?

Inútiles, se entregan los jinetes
—¿Para qué ya las bridas?—
A las monturas suaves y sonámbulas,
Que a una atracción de oscuridad cediendo
Se inclinan otra vez hacia la tierra,
Sólo por fin rozada
Sin romper el prodigio,
Rebotando, volando a la amplitud
Sin cesar fascinante.

Avanzan y no miran los caballos.
Y un caballo tropieza.
¡Con qué sinuosidad de cortesía
Roza, cae, se dobla,
Se doblega a lo oscuro,
Se tiende en su silencio!
Hay más blanco en los ojos.
Más aceradamente se difunden
Los grises
Sobre el inmóvil estupor del mundo.
Las manchas de gentío
Se borran
Tras vallados penosos
Con su oscura torpeza de rumores.
Los caballos ascienden, bajan, pisan,
Pisan un punto, parten,
A ciegas tan certeros,
Más sordos cada vez, flotantes, leves,
Pasando, resbalando.

¡Qué ajuste sideral
De grises,
Qué tino de fantasmas
Para llegar a ser
Autómatas de cielo,
Espíritus —estrellas en su trance
Seguro sin premura!

¿Sin premura de fondo?
Esta pasión de lentitud ahora
¿No es todavía rápida,
No fué ya rapidez?
Rapidez en segundos manifiesta.
Visibles y tangibles,
Desmenuzan el vértigo
De antes
En aquel interior de torbellino:
Corpúsculos, segundos, arenisca
De la más lenta realidad compacta.

¡Gracia de este recóndito sosiego!
El animal se cierne,
Espíritu por fin,
Sobre praderas fáciles.
¡Allá abajo el obstáculo
Sobre el suelo de sombra!
Silencio. Los rumores del gentío
Por entre las cornisas y las ramas
Desaparecerán,

Callarán los insectos entre hierbas
Enormes,
Y follajes de hierro
Se habrán forjado a solas.
Alguna flor allí
Revelará sus pétalos en grande.

¡Qué lentitud en ser!
Corred, corred, caballos.
Implacable, finísima,
La calma permanece.
¡Cuántas fieles ayudas primorosas
A espaldas de la prisa!
Envolviendo en su gris
Discurre la paciencia
Por entre los corpúsculos del orbe,
Y con su red se extiende
Sobre las lentas zonas resguardadas.
Entre una muchedumbre de segundos
Se ocultan, aparecen
Los cuerpos estelares
—Y esos caballos solos,
Arriba solos sobre el panorama.
¡Cascos apenas, leves y pulidos
Pedruscos!

Entre los cielos van
Caballos estelares.
¿Caballos?

INTERIOR

(En paz, en paz con la calle y la niebla.
Suya es la guerra.)

Junto a la luz, la tiniebla escogida.
La noche es mía.

¿Toda la sombra nació del piano?
Ese eco opaco...

¡Dulces silencios! A veces se habla
Solo en voz alta.

La soledad, tan aguda, reserva
La biblioteca.

¡Todo extraviado en estantes oscuros,
Mío es el mundo!

Mío el albor. No pasó. Las auroras
Aquí reposan.

¡Cuántos colores soslayas y eriges
Tú, mi molicie!

Sobre el diván del coloquio se ciernen
Los pareceres.

Gris redondel, por el aire la idea,
Buena humareda.

La chimenea al invierno convoca.
¡Oh son de trompa!

Fugas a bosques en vano se exaltan
Entre las brasas.

¡Brasas, delicias! El árbol, sin nidos,
Ya vió su sino.

¡Fronda en rumor, ah, profunda de pájaros!
Hoy es mi sábado.

Séme secreto, mi férvido espejo.
Guárdame entero.

Mas... ¡Oh blancura! No ahogues, apártame
Sólo un instante.

No me retengas, reflejo tan frío.
No soy Narciso.

(Alguien responde en la cándida estancia.
—Mira. ¿Ves? Basta.)

EL DESTERRADO

> Corroborating forever the triumph of things.
>
> WALT WHITMAN

¡La atmósfera, la atmósfera se deshilacha!
Invisible en su hebra desvalida,
A sí mismo el objeto se desmiente.
Ronda una mansedumbre con agobio de racha.
Todo es vago. La luna no puede estar ausente.
Así, tan escondida,
¿Eres tú, luna, quien todo lo borra o lo tacha?
¡Torpe, quizá borracha,
Mal te acuerdas de nuestra vida!

El mundo cabe en un olvido.

Esta oscura humedad tangible huele a puente
Con pretil muy sufrido
Para cavilaciones de suicida.
Cero hay siempre, central. ¡En esta plaza
Tanta calle se anula y desenlaza!

Y de pronto,
¡paso!
Con suavidad cruelmente

Discreta
Va deslizándose la pérfida bicicleta.
Pérfida a impulso de tanto perfil,
¿Hacia qué meta
Sutil
Se precipita
Sin ruido?
Lo inminente palpita.

¿El mundo cabe en un olvido?

Y entre dos vahos
De un fondo, nube ahora que se agrieta
Con una insinuación de cielo derruído,
La bicicleta
Se escurre y se derrumba por un caos
Todavía modesto.

—¿Qué es esto?
¿Tal vez el Caos?
—¡Oh,
La niebla nada más, la boba niebla,
El No
Sin demonio, la tardía tiniebla
Que jamás anonada!
Es tarde ya para soñar la Nada.

Devuélveme, tiniebla, devuélveme lo mío:
Las santas cosas, el volumen con su rocío.

CAPITAL DEL INVIERNO

¡Ágil curva de invierno! Se desliza
Frente a unos grises, canos
De medias luces gratas, sin arcanos
Últimos de ceniza.

Lo gris, lo bueno, lo más lento y cierto...
¡Chimeneas de calma!
Pero el frío desnuda. Todo es alma
Veloz al descubierto.

Vuelven las avenidas a su esquema.
Vivaces nervaduras
De lo interior asumen las figuras
De una ciudad extrema.

¡Oh transeúnte, prisa creadora
De más viento en el viento,
Muy claro anuncias el advenimiento
De los dioses de ahora!

El dios más inminente necesita
Simple otra vez el mundo.
Lo elemental afronta a lo profundo.
El invierno los cita.

NOCHE DE LUNA
(SIN DESENLACE)

Altitud veladora:
Descienden ya vigías
Por tanta luz de luna

¡Astral candor del mar!
Los plumajes del frío
Tensamente se ciernen.
        Y, planicie, la espera:
        Callada se difunde
        La expectación de espuma.

¡Ah! ¿Por fin? Desde el fondo
Los sueños de las algas
A la noche iluminan.

Voluntad de lo leve:
Adorables arenas
Exigen gracia al viento.
        ¡Ascensión a lo blanco!
        Los muertos más profundos,
        Aire en el aire, van.

Difícil delgadez:
¿Busca el mundo una blanca,
Total, perenne ausencia?

A VISTA DE HOMBRE

I

La ciudad, ofrecida en panorama,
Se engrandece ante mí. Prometiendo su esencia,
Simple ya inmensamente,
Por su tumulto no se desparrama,
A pormenor reduce su accidente,
Se ahinca en su destino. ¿Quién no le reverencia?

Así tan diminutas,
Las calles se reservan a transeúntes mudos.
Hay coche
Que trasforma sus focos en saludos
A los más extraviados por su noche.
¡Aceras acosadas! Hay disputas
De luces.
En un fondo de rutas
Que van lejos, tinieblas hay de bruces.

¿Llueve? No se percibe el agua,
Que sólo se adivina en los morados
Y los rojos que fragua
De veras, sin soñar, el pavimento.
Lo alumbran esos haces enviados
A templar en la noche su rigor de elemento,
Las suertes peligrosas de sus dados.

II

Contradicción, desorden, batahola:
Gentío.
Es una masa negra el río
Que a mi vista no corre —pero corre
Majestuosamente sin ornato, sin ola.
En la bruma se espesa con su audacia la torre
Civil.
Infatigable pulsación aclama
—Plenitud y perfil
De luminosa letra—
La fama
Del último portento.
Así brillando impetra
Los favores de todos —y del viento:
El viento de las calles arrojadas
A esa ascensión de gradas
Que por la noche suben del río al firmamento.

Muy nocturnas y enormes,
Estas casas de pisos, pisos, pisos
—Con sus biseles en el día incisos
Escuetamente—
Se aligeran. Conformes
Con su cielo resisten, ya tenues, las fachadas

En tantos vanos tan iluminadas.
¡Es tan frecuente
La intimidad de luz abierta hacia lo oscuro:
Esa luz de interior
Más escondido bajo su temblor!
Y late el muro
Sólido en su espesura acribillada
Por claros
De energía que fuese ya una espada
Puesta sólo a brillar.
¿Tal vez hay faros
Que enrojecen las lindes —ya en suburbios— del fondo,
Bajo un cielo rojizo
Sin una sola estrella?
Con mi ventana yo también respondo,
Ancho fulgor, a la ciudad. ¿Quién la hizo
Terrible, quién tan bella?
Indivisible la ciudad: es ella.

III

Sálveme la ventana: mi retiro.
Bien oteada, junta,
La población consuela con su impulso de mar.
Atónito de nuevo, más admiro
Cómo todo responde a quien pregunta,
Cómo entre los azares un azar
A tientas oportuno sirve a los excelentes.

He ahí la ciudad: sonando entre sus puentes.

Mientras, ¡ay! yo columbro, fatigado, la trama
De tanta esquina y calle que a mi ser desparrama,
Laborioso, menudo, cotidiano,
Tan ajeno a mi afán, en lo inútil perdido:
Esta vida que gano
Sin apenas quejido.
¿Solución? Me refugio
Sin huir aquí mismo, dentro de este artilugio
Que me rodea de su olvido.

IV

Espacio, noche grande, más espacio.
Una estancia remota,
De mí mismo remota en el palacio
De todos, de ninguno. ¿Compañía
Constante,
Soledad? No se agota
Cierta presencia, nunca fría.
¡Oh muchedumbre, que también es mía,
Que también yo soy! No, no seré quien se espante,
Uno entre tantos.
No hay nada accidental que ya me asombre.
(La esencia siempre me será prodigio.)
Es invierno. Desnudos bajo mantos:

El hombre.
¿Tú? Yo también. Y todos.
La confusión, el crimen, el litigio.
¡Oh lluvias sobre lodos!
Gentes, más gentes, gentes. (Y los santos.)

Esta es mi soledad. Y me remuerde:
Soledad de hermano.
El negror de la noche ahora es verde
Cerca del cielo, siempre muy cercano.
¡Cuánto cielo, de día, se me pierde
Si a la ciudad me entrego,
Y en miles de premuras me divido y trastorno,
Junto al desasosiego
De los cables en torno!

Soledad, soledad reparadora.
Y, sin embargo,
Hasta en los más tardíos repliegues, a deshora,
No me descuides, mundo tan amargo
—Y tan torpe que ignora
Su maravilla.
¡Oh mundo, llena mi atención, que alargo
Sin cesar hacia ti desde esta altura
Que en noche se encastilla,
Así jamás oscura!
Vive en mí, gran ciudad. ¡Lo eres! Pesa
Con tus dones ilustres. El alma crece ilesa,
En sí misma perdura.

V

Vencido está el invierno.
La fatiga, por fin, ¿no es algo tierno
Que espera, que reclama
Sosiego en soledad?
Y el drama...
Siga en lo oscuro todo.
Básteme ya lo oscuro de un recodo,
Repose mi cabeza.
¡Única soledad, oh sueño, firme
Trasformación! Empieza
Modestamente el ángel a servirme.
Poco a poco se torna la dureza
Del mundo en laxitud. ¿Es fortuna interina,
Perderé?
Ganaré. Creciente olvido
Negará toda ruina.
¡Gran pausa!
¡Cuánto, nuevo!
Y yo despertaré. No será lo que ha sido.
(¿Padecerá en su ayer el malherido?)
Mi existencia habrá hincado sus raíces
En este ser profundo a quien me debo:
El que tan confiado, gran dormir, tú bendices.
¡Todo, mañana, todo me tenderá su cebo!

3

EL PÁJARO EN LA MANO

Otro instrumento es quien tira
De los sentidos mejores.

DON LUIS DE GÓNGORA

I

A ESO DE LAS CUATRO

A eso de las cuatro vino,
Aun gris. . . Magna tentativa
De faz. ¿Qué faz? ¿Era el sino
Quien entre las sombras iba,
Apenas alboreado?
En confusión, a su lado
Bullía turba impaciente.
¿De qué? Sentí resbalar
Insinuaciones de azar.
Sin miedo miré al oriente.

EL RUISEÑOR

Por don Luis

El ruiseñor, pavo real
Facilísimo del pío,
Envía su memorial
Sobre la curva del río,
Lejos, muy lejos, a un día
Parado en su mediodía,
Donde un ave carmesí,
Cenit de una primavera
Redonda, perfecta esfera,
No responde nunca: sí.

PASMO DEL AMANTE

¡Hacia ti que, necesaria,
Aun eres bella! (Blancura,
Si real, más imaginaria,
Que ante los ojos perdura
Luego de escondida por
El tacto.) Contacto. ¡Horror!
Esta plenitud ignora,
Anónima, a la belleza.
¿En ti? ¿En quién? (Pero empieza
El sueño que rememora.)

ESTATUA ECUESTRE

Permanece el trote aquí,
Entre su arranque y mi mano.
Bien ceñida queda así
Su intención de ser lejano.
Porque voy en un corcel
A la maravilla fiel:
Inmóvil con todo brío.
¡Y a fuerza de cuánta calma
Tengo en bronce toda el alma,
Clara en el cielo del frío!

DINERO DE DIOS

¡Tres, cuatro, cinco, seis, siete!
Una mano de Hacedor
Supremo palpa el Billete
Con júbilo creador,
Que va a sentirse muy digno
Del Poder en cuanto el Signo
De la Posibilidad
Se cierna sobre el papel
Hasta convertirse en... el
Más allá. —¡Dioses: gastad!

AHORA

Y el café. ¿La tarde, alerta,
Me aguarda? Redondo Ahora.
Morosamente concierta
La lentitud invasora
De la siesta con el vago
Giro del gusto en el lago
Tan favorable al empeño
Del inventor soñador.
¡Sabe esta sombra al color
Estrellado de algún sueño!

EL ARCO DE MEDIO PUNTO

Muro a muro, hueco a hueco,
La Historia es este descanso
Donde opera aún el eco
De una gran voz, hoy ya manso
Discurrir de una armonía
Presente. La galería
Conduce hasta el gran conjunto,
Que muda todo sol en
Luz serena. ¡Mira bien
El arco de medio punto!

TAMBIÉN EL INVIERNO

Gracias se deslizan por
El puro nivel de hielo
Que el lago tiende en honor
De tal juventud. ¿El celo
Guarda esbelta esa figura,
O un don celestial? Y dura
Sin fatiga ni traspiés
Todo el juego en forma de ese
Para que al mundo embelese
La gracia que más lo es.

PARAÍSO REGADO

Sacude el agua a la hoja
Con un chorro de rumor,
Alumbra el verde y le moja
Dentro de un fulgor. ¡Qué olor
A brusca tierra inmediata!
Así me arroja y me ata
Lo tan soleadamente
Despejado a este retiro
Fresquísimo que respiro
Con mi Adán más inocente.

ARIDEZ

¿Para quién, espacio, claro
De aridez, sin confidente,
Rendido a tu desamparo
Sin reloj, ante el presente
Perenne de la altitud?
¿Para quién la plenitud
En pura aridez, oh ardores
Escuetos de lo absoluto,
Que con tal ímpetu enjuto
Quemáis los propios cantores?

LA LUZ SOBRE EL MONTE

¡Oh luz sobre el monte, densa
Del espacio sólo espacio,
Desierto, raso: reacio
Mundo a la suave defensa
De la sombra! La luz piensa
Colores con un afán
Fino y cruel. ¡Allí van
Sus unidades felices,
Inmolación de matices
De un paraíso galán!

BELLA ADREDE

Sobre el hombro solitario,
Tan ligero de tan duro,
(Mira a la aurora en apuro,
Fuga del lirio precario)
Guarda luces de un acuario,
(Feria marina en el cielo)
Ardua para el fiel desvelo,
Galatea, bella adrede.
(Mira a la aurora. Ya cede
Lirios al mar paralelo.)

LAS OCHO DE LA MAÑANA

Y otra vez se despereza
La Marcha Inmortal... que un hombre,
Para que nadie se asombre
Demasiado, con llaneza
Silba. Tiene ligereza
De gloria hallada la calle.
Dios es quien propone el talle
De Europa, de esa muchacha
Que así pisando despacha
La Marcha. ¡Nada la acalle!

VERDE HACIA UN RÍO

Pasa cerca, le adivino.
Con él cantan, y en follajes
Aun más sonoros —¡no bajes
De prisa!— pero sin trino,
Los pájaros. Es más fino
Su gorjeo infuso en masa
Vegetal. ¿Quién acompasa
La dicha? Desciende el monte
Muy despacio. Ven. Disponte
Ya a lo mejor. Cerca pasa.

GENEROSA

Generosa tú, que olvidas
Ese yo que en ti yo adoro,
Más generosa en el foro
De mis tablas desvalidas.
Viviendo nuestras dos vidas
Generosa tú, regalo
De esta margen donde el Malo
Se desvanece en quimeras.
¡Ay! ¿No soy quien tú quisieras?
Valga el suspiro que exhalo.

JARDÍN QUE FUÉ DE DON PEDRO

Como es primavera y cabe
Toda aquí... Para que, libre
La majestad del sol, vibre
Celeste pero ya suave,
O para entrever la clave
De una eternidad afín,
El naranjo y el jazmín
Con el agua y con el muro
Funden lo vivo y lo puro:
Las salas de este jardín.

VERDOR ES AMOR

El río diseña un arco.
¡Mejor! Nos guarda en su aparte.
Dos horizontes comparte
Nuestra lentitud. El barco
Se para. ¡Tierra! Tan zarco
Cielo pide una espesura
De intimidad. ¡Qué segura
La promesa del verdor
Fluvial! Verdor es amor.
El río se da y perdura.

COPA DE VINO

Ten, y a conciencia procura
Demorarte en la fragancia
De cuanto aquí se te escancia
Poco a poco: si ventura,
Calidad. ¡Jamás la oscura
Languidez hostil al día
De Dios! El cielo se alía
Con quien puede ser su amigo.
Tal gracia trae consigo
Tanta quintaesencia pía.

YO, QUIETO, SERÉ QUIEN VEA

Yo, quieto, seré quien vea
Cómo el estío se afila
Dentro de aquella tranquila
Tarde probable en la aldea
Donde un viajero sestea
Para olvidar el confín
Que persigue su trajín,
Frente a tanta luz en paro,
Tan contemplada, al amparo
Fiel de alguien. ¡Luz sin fin!

EL NIÑO DIÇE...

¿Qué dice? Ni un balbuceo.
Sólo un susurro en apunte.
Basta que a los labios junte,
Aguzándose en deseo,
Este espíritu que veo
Pendiente de mi respuesta.
Él es quien se manifiesta
Sin palabras, de tal modo
Jovial que lo dice todo
Con una salud en fiesta.

EN PLENITUD

Después de aquella ventura
Gozada, y no por suerte
Ni error, —mi sino es quererte,
Ventura, como madura
Realidad que me satura
Si de veras soy— después
De la ráfaga en la mies
Que ondeó, que se rindió,
Nunca el alma dice: no.
¿Qué es ventura? Lo que es.

PAN

En el pan de tanta miga
—Apretadamente suave—
A más sol de julio sabe,
Dorada quietud de espiga,
La corteza... Siga, siga
Varïando el atractivo
Del festín. Está cautivo
Mi gusto. Bien le acompaña
—Esencia que fuese entraña—
El pan, el pan sustantivo.

AMIGA PINTURA

Para Cristóbal

Un cielo atendido apenas
Da su lejanía al claro
Del ramaje. Yo separo
Los azules. Son ajenas
Sus glorias a las terrenas
Islas del Mayo mejor.
Junto al agua está un pintor,
Regente de esta hermosura.
Pinta bien: se me apresura
Todo Mayo hacia un amor.

LA CABEZA

¡Tierno canto de la frente,
Batido por tanta onda!
La palma presume monda
La calavera inminente.
Si la tez dice que miente
El tacto en ese barrunto,
Porque a un gran primor en punto
—Ápice de su matiz—
Conduce la piel feliz,
Palpa el hueso ya difunto.

PROFUNDA VELOCIDAD

Sola silba y se desliza
La longitud del camino
Por el camino. ¡Qué fino!
¡Mas cómo se profundiza
La presencia escurridiza
Del país, aunque futuro,
Tras el límite en apuro
Del velocísimo Ahora,
Que se crea y se devora
La luz de un mundo maduro!

CIERTAS SOMBRAS

¿Oís? Es en el desvelo
Que agita a esa sombra. Suena
Casi, va a sonar la arena
Bajo ese toldo. (No hay suelo
Triste. No hay mayor consuelo
Que la sombra.) ¿Veis? Confía
Lo oscuro en su nunca fría
Palpitación. (Si era mate,
No lo es ya.) Un rayo late.
Va a sonar una armonía.

MELENAS

¡Oh melenas, ondeadas
A lo príncipe en la augusta
Vida triunfante: nos gusta
Ver amanecer —¡doradas
Surgen!— estas alboradas
De virginidad que apenas
Tú, Profusión, desordenas
Para que todo a la vez
Privilegie la esbeltez
Más juvenil, oh melenas!

BEATO SILLÓN

¡Beato sillón! La casa
Corrobora su presencia
Con la vaga intermitencia
De su invocación en masa
A la memoria. No pasa
Nada. Los ojos no ven,
Saben. El mundo está bien
Hecho. El instante lo exalta
A marea, de tan alta,
De tan alta, sin vaivén.

A LÁPIZ

¿El mundo será tan fino?
¿Le veo por nuevas lentes?
Hay rayas. Inteligentes,
Circunscriben un destino,
Sereno así. Yo adivino
Por los ojos, por la mano
Lo que se revuelve arcano
Bajo calidad tan lisa.
Toda un alma se precisa,
Vale. Tras ella me afano.

PERDIDO ENTRE TANTA GENTE

Perdido entre tanta gente
Con el semblante sin nombre,
Soy nada menos el Hombre:
Mi abstracción indiferente.
¿Qué hacer? ¿Gritar? Dulcemente
La ondulación de fatiga
Que en sus silencios abriga
Lo anónimo sin capricho,
Lo no hablado, de tan dicho,
Se opone: —Soy buena amiga.

VAIVÉN DEL REFLEJO

El rayo de sol no cesa
Con sus retornos —¡oh mar!—
De remover y ondear
Estas horas sin sorpresa.
¿Nadie ahí? Sobre la mesa
Trémulamente se afana
Lo umbrío de la mañana
Que fluye desde el follaje.
¡Ondas, ondas: el mensaje
De la marea lejana!

NIÑO CON ATENCIÓN

—Ojos. Azul. Sus destellos,
De repente inquisitivos,
Reservan en los archivos
De la atención los más bellos
Datos. —Y así, todos ellos
Tan bellos ¿serán reales?
—Tal azul exige tales
Acordes con su belleza
Que de nuevo el mundo empieza
Con todos sus manantiales.

LAS ALAMEDAS

¡Quién mereciera lo umbrío,
O lo sonoro si llueve,
Con lo agudo del relieve
Que traza ese poderío
—Tan feliz que exige un río
Por allí— de los follajes
Arqueados en pasajes
Tendidos al regodeo
De quien apura el paseo
Profundizando paisajes!

LO INMENSO DEL MAR

Mar en cartel. ¡Ah, no hay bruma!
¡Total azul! Sobrehumano,
Levanta en vilo al verano
Sin celaje, sin espuma.
Tanta unidad, si me abruma,
—Monótona, lenta, plana—
¡Qué bien me rinde y me allana
—Dúctil, manejable, mía—
Lo inmenso del mar, en vía
De forma por fin humana!

EN LO AZUL, LA SAL

Estricto, pero infinito.
No acoge este mar —idea
De lo azul— ningún prurito
Que de tan blanco se crea
La Desnudez en raudal.
Y oculta en lo azul, la sal:
Poder tan ágil que a solas
Con el color restituye
La unidad del mar, que huye
Sin cesar bajo las olas.

DE ANTEMANO

A sus anchas por ahí
Flota y se esparce un placer
Que estoy presintiendo en mí.
Antes de encontrar y ver,
Heme con el día a tono.
¿Sé, cuando a tal abandono
Responde el alrededor,
Si encaja el día en su quicio
—O en mi salud? Yo no enjuicio.
Mi salud es ya un amor.

PERFECCIÓN

Queda curvo el firmamento,
Compacto azul, sobre el día.
Es el redondeamiento
Del esplendor: mediodía.
Todo es cúpula. Reposa,
Central sin querer, la rosa,
A un sol en cenit sujeta.
Y tanto se da el presente
Que el pie caminante siente
La integridad del planeta.

VASO DE AGUA

No es mi sed, no son mis labios
Quienes se placen en esa
Frescura, ni con resabios
De museo se embelesa
Mi visión de tal aplomo:
Líquido volumen como
Cristal que fuese aun más terso.
Vista y fe son a la vez
Quienes te ven, sencillez
Última del universo.

SIN LAMENTO

Oigo crujir una arena.
¿Es aquí? Nadie la pisa.
En el minuto resuena
—¡Cuánta playa nunca lisa!—
Mucho tiempo: va despacio.
¿Por qué fluctúa reacio,
Hostil a su movimiento?
Lenta la hora, ya es todo
Breve... ¡Bah! Por más que el codo
Cavile, no, no hay lamento.

PRESENCIA DE LA LUZ

¡Pájaros alrededor
De las fugas de sus vuelos
En rondas! Un resplandor
Sostiene bien estos cielos
Ya plenarios del estío,
Pero leves para el brío
De esta luz... ¡Birlibirloque!
Y los pájaros se sumen
Velándose en el volumen
Resplandeciente de un bloque.

PANORAMA

El caserío se entiende
Con el reloj de la torre
Para que ni el viento enmiende
Ni la luz del viento borre
La claridad del sistema
Que su panorama extrema.
Transeúntes diminutos
Ciñen su azar a la traza
Que con sus rectas enlaza
Las calles a los minutos.

LA ROSA

Yo vi la rosa: clausura
Primera de la armonía,
Tranquilamente futura.
Su perfección sin porfía
Serenaba al ruiseñor,
Cruel en el esplendor
Espiral del gorgorito.
Y al aire ciñó el espacio
Con plenitud de palacio,
Y fué ya imposible el grito.

CLARA NOTICIA

Para Dámaso

Todos lo crean: las hojas
En el árbol y en el seto,
Esas moradas y rojas
Florecillas —tan concreto
Lo más puro— sobre hierba,
La penumbra que reserva
Sol ya azul en su retiro.
Mayo, su verdad, su bien
Regalan amor. —¿A quién?
—Universo hacia suspiro.

EL QUERER

Noches: de día en secreto,
Encastillados estíos
Con otro sol recoleto,
Lumbre dócil: albedríos.
¿Entre fatales cenizas
Habrá de dos lunas trizas,
Que en soñoliento horizonte
Desparramará la aurora?
Con tu sol sin manchas dora,
Noche, al que ardiendo te afronte.

II

FE

¡El alba! Todo me espera
También hoy.
Una fe con su certera
Voz de aliento
Me impulsa y mantiene fuera
De este mundo que yo soy,
En un viento
Que me enlaza a un real Octubre.
No, no invento.
¿No soy yo quien él descubre?

CIUDAD EN LA LUZ

Sobre tejados y frondas,
Por la raya
De un cielo de caserío,
Alzándose están las blondas
Encarnaciones que ensaya,
Tierno y frío,
Ese oriente. (Sol oculto.)
. . . Pero ya todo lo cerca:
Va a nacer un gran tumulto
Sobre rayos de luz terca.

ÚNICO PÁJARO

¿Único pájaro? ¿Vibra ya el alba hacia un nido?
Sobre un exánime resto de noche y zozobra
Tiende a un preludio de coro posible un silbido.
Atención, escuchad, el alba es una obra.

SIEMPRE AGUARDA MI SANGRE

Siempre aguarda mi sangre. Es ella quien da cita.
A oscuras, a sabiendas quiere más, quiere amor.
No soy nada sin ti, mundo. Te necesita
La cumbre de la cumbre en silencio: mi estupor.

BUEN HORIZONTE

Nivela a mi horizonte boscaje muy tupido:
Anchura de verdor y amarillez de cima.
La inmensidad se apoya, descansa. Nunca ha sido
Más claro ese universo: el confín lo aproxima.

LA VOCACIÓN

Cada minuto viene tan repleto
Que su fuerza no pasa,
Y aunque al reloj sujeto,
No se humilla a su tasa
Justa, no se disuelve en un discreto
Suspiro. Por debajo
De un más sensible sin cesar Presente,
Cada minuto siente
Que seduce una voz a su trabajo.
—Dame tu amor, tu lento amor, detente.

HIJA PEQUEÑA

No, no vale ese llanto.
La Creación a dar su poesía empieza.
¡Tú creces! Y con tanto
Paraíso en tu estrépito que la naturaleza
Sola es jardín: tu encanto.

Gracia tan inmediata
De manantial, de luz con arranque de aurora,
De alborada invasora,
De ramo con rocío —¡tú creces!— no enamora.
Más, más, más: arrebata.

CELINDA

Sobre el ramaje un blanco
Bien erguido. ¿Qué arbusto?
Flor hacia mí. La arranco,
Fatalmente la arranco: soy mi gusto.

Esta flor huele a. . .
¿A jazmín?
No lo es.
¿A blancura?
Quizá.

Yo recuerdo el ataque de esta casi acidez
Como un sabor aguda.
Un sabor o un olor. Y un nombre fiel. Tal vez. . .
¡Sí, celinda! Perfecta: en su voz se desnuda.

CONTIGO EL DÍA OSCURO

Contigo el día oscuro,
Bajo el cielo nublado, da al presente un aroma
De adorable futuro.
La vaguedad orea con aura gris y toma
Dulzura a tu conjuro.

LOS BRAZOS

¡Cómo sueñan los brazos! Son ellos los capaces
De ajustar a su orbe fabuloso y pequeño
—¡Amor: henos aquí para que nos enlaces!—
Esa verdad tan plena que se convierte en sueño.

ABRIL DE FRESNO

Una a una las hojas, recortándose nuevas,
Descubren a lo largo del abril de sus ramas
Delicia en creación. ¡Oh fresno, tú me elevas
Hacia la suma realidad, tú la proclamas!

LA HABITACIÓN

Sol así, con ternura de retiro, ¿qué espera?
Ni esta simple armonía puede valer a solas.
Vendrá, vendrá el amor sobre el piso de cera.
Abril en los espejos entreabre corolas.

EL RETRASADO

De prisa, de prisa, de prisa.
¡Paso!
A los pies el alma se lanza,
Y el sol por el suelo se alisa.
¡Qué bello,
Por fin, mi atropello!
El suelo a este paso se rinde más raso.
La vida es cruel y precisa.
¡Cómo ahora se abraza a mi tardanza!
De prisa, de prisa, de prisa.

LA HIERBA ENTRE LAS TEJAS

Es alegre la hierba entre las tejas.
¡Qué importan las persianas
De penumbra impaciente,
Y la fatalidad a plomo ante esas rejas,
Y ese muro con ansia de ventanas,
Si primaveralmente
Me ilusiona y se aviva
La insinuación silvestre que en las tejas encaje,
Sin hombres, sola arriba!
Es tenaz la esperanza con paisaje.

EL MAR EN EL VIENTO

Aquí, por esta calle el viento llega
Como una dicha que precipitara
La entrega
De sus profundidades cara a cara.
¡Efusión de frescura! No sé adónde
Conduce este contacto
Súbito de un azar.
¡Hondo olor! En el acto
Me exige que recuerde, que le ahonde.
—Embriágame, viento, profundizo hasta el mar.

CASA CON DOS PATIOS

Siempre seré el forastero
Que ve junto a la cancela
Cómo en el patio primero
Mármol frío
Vela
Por el señorío.
Pero aquel patio segundo
Con su cielo —tierra
Con sol— me envuelve en un mundo
Que pasma, ciñe y se cierra.

ROSA OLIDA

Te inclinaste hacia una rosa,
Tu avidez
Gozó el olor, fué la tez
Más hermosa.
Y te erguiste con más brío,
Más ceñida de tu estío
Personal,
Para mí —sin más ayuda
Que una flor— casi desnuda:
Tú, fatal.

LA PALABRA NECESARIA

He visto en los jardines tales Junios sin hombres
Que mi voz necesita decir, entre los nombres
Celestes de la flora,
Alguno que al sonar me restituya
La Aurora
Violenta,
Cuando irrumpe con ramos y hace suya
La luz que más inventa.
Pido un nombre de flor que en la memoria anime
Total y sin nadie el jardín de Junio sublime.

DELICIA EN FORMA DE PÁJARO

¡Oh follaje de estío,
Amor, rumor, verdor, plenitud tan ligera:
Quién, alado, te diera
Voz sonada en las hojas, murmullo de ribera,
El acorde de estío!

LAS AFUERAS

Ved. La ciudad disfruta gracias a estas afueras
Entre puentes: riberas
Que el sol, de acuerdo con la espiga, dora.

Y yo voy divagando. No hay follaje sin pío.
Se inclinan las moreras con su verdor —intenso—
Hacia el verde agrisado por la hora
Flotante sobre el río.

¡Manso curso! Tan sólo consigue en el descenso
De unas presas Espuma.

Y yo, galán, sonrío
—¡Vacación en las playas!— a esa amante de Estío.

ATALAYA

A los años oteo,
Por vivir y vividos. ¡Qué bien bogan los goces,
Invencibles! Lo feo
Va con lo hermoso arriba, sobre nubes veloces,
Entre cielo y deseo.

No es que algún dios me escoja,
Me dé tu amor y el aire. Es que una matutina
Frescura me encamina,
Me eleva a una atalaya, lejos, en la colina
Donde amor no es congoja.

TRAS LA GRAN SED

Agosto me despeña
—sed, sed, sed—
a su infierno.
¡Ah! De repente, Dios.
Y un pronto de agua fría,
Ebriedad en relámpago, es el amor eterno
Que colma de una vez con terrible alegría.

CIELO DEL PONIENTE

Hay una profusión furiosa de final.
Para morir en triunfo la multitud es apta.
Irrumpe entre carmines un ímpetu animal.
La maravilla invade violenta y nos rapta.

LOS RECUERDOS

¿Qué fué de aquellos días que cruzaron veloces,
Ay, por el corazón? Infatigable a ciegas,
Es él por fin quien gana. ¡Cuántos últimos goces!
¡Oh tiempo: con tu fuga mi corazón anegas!

CAMPOSANTO

Yacente a solas, no está afligido, no está preso,
Pacificado al fin entre tierra y más tierra,
El esqueleto sin angustia, a solas hueso.
¡Descanse en paz, sin nosotros, bajo nuestra guerra!

UN MONTEALEGRE

Ya no defiende tu muro,
Castillo ya no cercado,
Sino ese tiempo futuro
Que en tu estado
—Una oquedad entre pocas
Piedras—
Incesantemente invocas.
Con tal tesón, si declinas,
No te arredras
Que se doran tiempo y ruinas.

DORMIDO SOÑADOR

I

Cedí,
    me abandoné,
        confié a la tiniebla
Toda el alma y su peso
            para profundizar
Hasta el fondo arenoso que el desvarío puebla.

II

¡Ay!

III

Emergí. ¡Qué dicha sobre el nivel del mar!

AVIÓN DE NOCHE

—Fulge muy cerca un lucero novel, aun sonoro,
Veloz y triunfando.
—Tímidamente diamantes,
Callan las constelaciones. ¿Se colma el tesoro?
—. . . Y triunfa pasando.
—¡Mundos ya menos distantes!

AMOR DORMIDO

Dormías, los brazos me tendiste y por sorpresa
Rodeaste mi insomnio. ¿Apartabas así
La noche desvelada, bajo la luna presa?
Tu soñar me envolvía, soñado me sentí.

AFIRMACIÓN

¡Afirmación, que es hambre: mi instinto siempre diestro!
La tierra me arrebata sin cesar este sí
Del pulso, que hacia el ser me inclina, zahorí.
No hay soledad. Hay luz entre todos. Soy vuestro.

SIN EMBARGO

I

—¿Buscas? De veras vives.
—¡Bajo tantos temores
Oscuros!
—¡Oh dicha a toda luz!
—Y el resto, largo,
Muy gris, entre dos luces.
—. . .Que dejan, sin embargo,
Los ojos en penumbra de algún sol. No, no llores.

II

Hoy huele el día a gozo recordado. Disfruta
Del camino: ya es ruta.

III

—Un amor bien vivido. . .
—¡Pero tantos dolores
Soportados!
—Amor, amor.
—Dulce y ya amargo.
¡Quién no suspira un ay!
—. . .Que deja, sin embargo,
Tu soledad templada para que al fin no llores.

III

AMANECE, AMANEZCO

Es la luz, aquí está: me arrulla un ruido.
Y me figuro el todavía pardo
Florecer del blancor. Un fondo aguardo
Con tanta realidad como le pido.

Luz, luz. El resplandor es un latido.
Y se me desvanece con el tardo
Resto de oscuridad mi angustia: fardo
Nocturno entre sus sombras bien hundido.

Aun sin el sol que desde aquí presiento,
La almohada —tan tierna bajo el alba
No vista— con la calle colabora.

Heme ya libre de ensimismamiento.
Mundo en resurrección es quien me salva.
Todo lo inventa el rayo de la aurora.

HACIA EL POEMA

Porque mi corazón de trovar non se quita

JUAN RUIZ

Siento que un ritmo se me desenlaza
De este barullo en que sin meta vago,
Y entregándome todo al nuevo halago
Doy con la claridad de una terraza,

Donde es mi guía quien ahora traza
Límpido el orden en que me deshago
Del murmullo y su duende, más aciago
Que el gran silencio bajo la amenaza.

Se me juntan a flor de tanto obseso
Mal soñar las palabras decididas
A iluminarse en vívido volumen.

El son me da un perfil de carne y hueso.
La forma se me vuelve salvavidas.
Hacia una luz mis penas se consumen.

ARIADNA, ARIADNA

¿Nubes serán pendientes hacia frondas
Que yo soñase, cómplice dormido?
Despierto voy por cúmulos de olvido
Que resucitan de sus muertas ondas.

¿Adónde me aventuro? Veo mondas
Algunas ramas y colmado el nido,
Y no sé si de Octubre me despido,
O algún Abril me envuelve con sus rondas.

Por ti me esfuerzo, forma de ese mundo
Posible en la palabra que lo alumbre,
Rica de caos sin cesar fecundo.

¿No habré de merecer, si aún vacilo,
La penumbra de un rayo o su vislumbre?
Ariadna, Ariadna, por favor, tu hilo.

PROFUNDO ESPEJO

Entró la aurora allí. Se abrió el espejo.
Soñaba la verdad con otra vida.
Pero tan fiel al punto de partida
Por lo profundo se alejó lo viejo

Que, latente en la fábula el cotejo,
Aun más puras se alzaron en seguida
Las formas. Y hecha gracia la medida,
De sus esencias fueron el reflejo.

Un material muy límpido y muy leve
Se aislaba exacto y mucho más hermoso.
La exactitud rendía otro relieve.

Mientras, las sombras se sentían densas
De su acumulación y su reposo.
La verdad inventaba a sus expensas.

SIEMPRE EN LA ISLA

—¡Ante la isla, por la verde cala
Dejar al tiempo que fluctúe puro,
Sin pulsación inquieta de futuro
Ni en ese rayo que a las ondas cala!

¡O, sierra adentro, recorrer la escala
De los verdores hasta el más oscuro
Boscaje en que un arroyo es el conjuro
Para salvar la hora que resbala!

¡Rumor agreste que jamás se calle,
Un horizonte con declive terso,
Lejano el mundo en torno de una cima!

—¿Isla? Sobre el bullicio de la calle
Se encumbra un sol en soledad inmerso.
¿Ves? A tus pies la isla se reanima.

YA SE ALARGAN LAS TARDES

Ya se alargan las tardes, ya se deja
Despacio acompañar el sol postrero
Mientras él, desde el cielo de febrero,
Retira al río la ciudad refleja

De la corriente, sin cesar pareja
—Más todavía tras algún remero—
A mí, que errante junto al agua quiero
Sentirme así fugaz sin una queja,

Viendo la lentitud con que se pierde
Serenando su fin tanta hermosura,
Dichosa de valer cuando más arde

—Bajo los arreboles— hasta el verde
Tenaz de los abetos y se apura
La retirada lenta de la tarde.

CON EL DUENDE

¡Viento aún tan aciago! Pero el viento
No apagará mis luces abatidas.
Si a oscuras el caballo va sin bridas,
Hacia mi voz se inquieta más atento.

¡Nublada suerte! Bajo el mal, intento
Mantener estas críticas batidas
A la altura de aquellas ¡ay! corridas
Cuando yo era feliz de nacimiento.

Noche me da la atmósfera en jornada
Que ante los ojos tan normal esplende,
Y mi dolor perturba, discordante.

En la luz, sin embargo, ya no es nada
Tanto desorden, y hasta el mismo duende
Tenebroso me fuerza a que yo cante.

LA AMISTAD Y LA MÚSICA

(CHIMENEA. DISCOS.)

—Desde su azul el fuego amarillea
Con tal palpitación que no podría
Descansar sin morir. —¡Si fuese mía
Tanta inquietud!— Yo admiro la marea,

Varia a compás. ¡Tropel hostil serpea
Por ese casi azul! —Ya la armonía,
Mientras resurge de esa gruta umbría
Sonando a mar, nos salva de pelea.

¡Eludir tantos vínculos ajenos
A este ser rodeado del sonido
Que lo clausura en plenitud de gracia,

Y columbrar la perfección al menos
Cuando nos purifica el gran olvido,
Y nuestro afán de más allá se sacia!

EL BIENAVENTURADO

Las tapias regalaban al camino
Pendientes madreselvas y un aroma
Del recóndito mundo que se asoma
—Rebosando, soñando, peregrino—

A un aire abierto al sol de ese destino
Que ninguna alameda sabia aploma.
El jardín me ofrecía su redoma
Para encantarme el ánimo con tino.

Se ceñía el murmullo de los robles
Al gorjeo sumido en su espesura,
Un tulipán se alzaba carmesí,

Las palabras posibles eran nobles.
Tan aparte quedó mi vida impura,
Tan dichoso fuí ya que me dormí.

PARA SER

Cuando ante mí total se siente el día,
Indivisible en su evidencia llena,
El temple de la luz se me serena
Como una desnudez de mi alegría.

No busco. Cedo al ímpetu que guía
—Varia salud— la sangre por la vena,
El son que nunca el álamo refrena,
Mi ley —fatal— a ti, variable y mía.

De cara a las esencias me coloca
Tanto vínculo móvil y yo gozo,
Profundamente afín, de estar en medio.

Llama la luz, nos llama. Ven: tu boca.
Me cerca aun más el ser con su alborozo.
Amor: te necesito en el asedio.

MUNDO CONTINUO

And all in war with Time for love of you
SHAKESPEARE

Si amor es ya mi suma cotidiana,
Mundo continuo que jamás tolera
Veleidad de retorno a la primera
Nada anterior al Ser, que siempre gana,

Si cada aurora se desvive grana,
¿Por qué azares indómitos se altera
La fatalmente a salvo primavera,
Segura de imponer su luz mañana?

De pronto, bajo el pie, cruje un desierto
Con una flor de pétalos punzantes.
Aridez, lejanía, vil vacío.

Y mientras, por un rumbo siempre cierto,
Sin acción de retorno, como antes
Su realidad va dando al mar el río.

EN SUMA

Una luz de sosiego en el retiro
De su alameda cóncava ilumina
—Lo sé— la paz mortal de esta colina
Tan soberana mientras yo la admiro.

Ese frescor de atmósfera en su giro
Perpetuo —sí, lo sé— predice ruina
Frente a la Deliciosa femenina
Que al pasar se me muere en mi suspiro.

Y al fin... Lo sé, lo sé —con la cabeza.
Pero tanto caudal de realidades
Me arrebata, me sume en su corriente.

Ser henchido de ser jamás empieza
Ni termina. Amor: tú siempre añades.
Creo en la Creación más evidente.

EL HONDO SUEÑO

Este soñar a solas... ¡Si tu vida
De pronto amaneciese ante mi espera!
¿Por dónde voy cayendo? Primavera,
Mientras, en torno mío dilapida

Su olor y se me escapa en la caída.
¡Tan solitariamente se acelera
—Y está la noche ahí, variando fuera—
La gravedad de un ansia desvalida!

Pero tanto sofoco en el vacío
Cesará. Gozaré de apariciones
Que atajarán el vergonzante empeño

De henchir tu ausencia con mi desvarío.
¡Realidad, realidad, no me abandones
Para soñar mejor el hondo sueño!

NATURALEZA CON ALTAVOZ

La sociedad, graciosa en el otero,
Sin atender al soto ni a su lago
Se unía y desunía en un amago
De pompa rebajada con esmero.

Una intención cortés flotaba, pero
Preponderaba por el aire el vago
Sonreír de las hojas, y el halago
Del sol era en la brisa más certero.

La realidad se trasmutaba en fiesta.
Ante el árbol y el hombre aquella hora
Dispuso allí de tales engranajes

Que una música fué. ¿No había orquesta,
La máquina del mundo era sonora?
Dios velaba su asombro con celajes.

VUELTA A EMPEZAR

Está lloviendo aún de los llovidos
Castaños, y la gota de la hierba
Compone un globo terso que conserva
La oculta libertad de los olvidos.

Pájaros, impacientes en los nidos,
Se aventuran por esa fronda aun sierva
Del agua celestial. ¡Ay, sigue acerba
La tarde en los balcones prometidos!

Tanto gris se demora en una pausa
Donde el mundo coincide con el tedio,
Resignado a esperar que todo pase.

¡No! Del propio vacío, mientras causa
Mi desazón, resurge el fiel asedio:
Al encanto inmortal la nueva frase.

UNOS CABALLOS

Peludos, tristemente naturales,
En inmovilidad de largas crines
Desgarbadas, sumisos a confines
Abalanzados por los herbazales,

Unos caballos hay. No dan señales
De asombro, pero van creciendo afines
A la hierba. Ni bridas ni trajines.
Se atienen a su paz: son vegetales.

Tanta acción de un destino acaba en alma.
Velan soñando sombras las pupilas,
Y asisten, contribuyen a la calma

De los cielos —si a todo ser cercanos,
Al cuadrúpedo ocultos— las tranquilas
Orejas. Ahí están: ya sobrehumanos.

ELECTRA FRENTE AL SOL

Un resto de crepúsculo resbala,
Gris de un azul que fué feliz. ¿Ceniza
Nuestra? La claridad final, melliza
Del filo, hiere al bosque: fronda rala.

Cae talando el sol. ¡Cruel la tala,
Cruel! No queda tronco. Se encarniza
La lumbre en la hermosura quebradiza,
Y ante el cielo el país se descabala.

¿Todo a la vez? Ahora van despacio
Los juntos por su ruta de regreso.
Ya es íntimo, ya es dulce el día lacio.

Todo a la vez. Se encienden las primeras
Luces humanas. ¡Ah, con qué embeleso
Ven al sol las nocturnas mensajeras!

SU PODERÍO

Púdica oscuridad con tanta diva
Que al revelarte quedas en secreto:
De tu amor no será posible objeto
Mi diminuta oscuridad nativa,

Más agravada ahora que me esquiva
La noche de un planeta así discreto.
No habrá de ser mi voz quien alce reto
Ni queja a tanta soledad de arriba.

Sin escucharme, cielo, me sostienes
Y consuelas trazando tus dibujos
Y signos, para mí constelaciones.

Me rige el universo. No hay desdenes
Luminosos de nadie ni son lujos
Las estrellas. ¡Oh luz, de mí dispones!

CIERRO LOS OJOS

Une rose dans les ténèbres

MALLARMÉ

Cierro los ojos y el negror me advierte
Que no es negror, y alumbra unos destellos
Para darme a entender que sí son ellos
El fondo en algazara de la suerte,

Incógnita nocturna ya tan fuerte
Que consigue ante mí romper sus sellos
Y sacar del abismo los más bellos
Resplandores hostiles a la muerte.

Cierro los ojos. Y persiste un mundo
Grande que me deslumbra así, vacío
De su profundidad tumultuosa.

Mi certidumbre en la tiniebla fundo,
Tenebroso el relámpago es más mío,
En lo negro se yergue hasta una rosa.

MUERTE A LO LEJOS

Je soutenais l'éclat de la mort toute pure

VALÉRY

Alguna vez me angustia una certeza,
Y ante mí se estremece mi futuro.
Acechándole está de pronto un muro
Del arrabal final en que tropieza

La luz del campo. ¿Mas habrá tristeza
Si la desnuda el sol? No, no hay apuro
Todavía. Lo urgente es el maduro
Fruto. La mano ya le descorteza.

. . .Y un día entre los días el más triste
Será. Tenderse deberá la mano
Sin afán. Y acatando el inminente

Poder diré sin lágrimas: embiste,
Justa fatalidad. El muro cano
Va a imponerme su ley, no su accidente.

LA NOCHE DE MÁS LUNA

¡Oh noche inmóvil ante la mirada:
Tanto silencio convertido en pura
Materia, ya infundida a esta blancura
Que es una luz aun más que una nevada!

Hasta el frío, visible al fin, agrada
Resplandeciendo como la textura
Misma de aquellos rayos, mientras dura
Su proyección en la pared lunada.

Sobre esos lisos blancos se concreta
Lo más nocturno, que de cada objeto
Va dejando a la sombra el pormenor,

Y elementales fondos de planeta
Fortifican un ámbito completo:
Noche con nieve, luna y mi estupor.

SUEÑO ABAJO

¿Más persuasión? Yo no la necesito.
Poco a poco los párpados, la frente
Tratan de seducirme, ya indolente,
Cuando soy yo quien se propone el hito

Feliz. Mi propia dejadez imito
Para que a fuerza de olvidarme asiente
Mi vivir en la nada más clemente.
¡Dulce anonadamiento del bendito!

Ni esbozo de ultratumba ni descenso
Con fantasmas a cuevas infernales
Donde imperen oráculos de ayer.

Sólo sumirse en el reposo denso
De una noche sin bienes ya ni males,
Y arraigarse en el ser y ser. ¡Ser, ser!

IV

BUENOS DÍAS

¡Sí!
    Luz. Renazco.
        ¡Gracias!
            Un silbido
Se desliza aguzándose, veloz, hacia la aurora.
¡Buen filo!
Rasgando irá la sombra
Que se interpone aún entre el sol y el afán.

Despertar es ganar.
        Balcón. ¡Oh realidad!

A través del aire o de un vidrio, sin ornamento,
La realidad propone siempre un sueño.
Canta, gallo jovial,
Canta con fe. Te creo.

ACCIDENTE

¿Mi angustia no dormía? La angustia me despierta:
    Cárcel desde los párpados al alma.
¿Ya amanece? Mi mal no estorba, soy quien era:
    Yo nada más. ¡Luz me alumbre inhumana!

CALLE DE LA AURORA

Así se llama: calle de la Aurora,
Puro el arco en el medio, cal de color azul,
Aurora permanente que se asoma
—Sobre corro o motín— al barrio aquel del Sur,
Humilde eternidad por calle corta.

ALGUIEN LLEGA A ENTREVER UN PARAÍSO

Una peña silvestre coronada de ardillas
Sonríe de improviso al caminante.
—¿Más todavía?

Riberas. ¡Oh, privadas! Cinco menudas aves
Abandonan al césped su pechezuelo gris.
—¡Ay! ¿Será peligroso lo feliz?

Innumerables en el prado, las margaritas
Persisten agrupadas, ofrecidas.
—Ofrecidas... ¿A quién, a mi ventura?

—Nos amaremos todos.
—¡Príncipe!
—Ven, escucha.

VOCACIÓN DE SER

¡La mañana!
El olor a intemperie con rocío se ensancha,

Busca espacio
Virgen, profundidad en viento irrespirado,

Y la hierba
Recién aparecida, asomándose apenas

Con su verde
Pueril a los terrones que una gracia remueve,

De una vez
Extrema en el atónito su vocación de ser.

ARROYO CLARO

El arroyo
Se rinde a su destino: lo más bello es muy poco.

Trasparencia.
Por el arroyo claro va la hermosura eterna.

No, no hay ninfas.
La claridad es quien descubre la delicia.

Clara el agua
A los ojos propone profundidad de fábula.

Y unos peces,
De súbito relámpagos, soñándose aparecen.

PREFERIDA A VENUS

De las ondas,
Terminante perfil entre espumas sin forma,

Imprevista
Surge —lejos su patria— la seducción marina.

¡Salve, tú
Que de la tierra vienes para ser en lo azul

No deidad
Soñada sino cuerpo de prodigio real!

Nadadora
Feliz va regalando desnudez a las ondas.

LA VERDE ESTELA

Tan hostil
Es el azul del mar al Infinito gris,

Y con tales
Figuras se responden oleaje y celaje

Que el abismo,
Sensible a una mirada, queda claro y amigo,

Breve y noble
Cuando se ajusta al círculo que traza el horizonte

Si algún barco
Riza su verde estela, capital del espacio.

NENE

Nada sabe.
Y toda su torpeza se convierte en un guante

Que acaricia,
Mientras por todo el cuerpo circula una sonrisa

Que abalanza
Su candor animal como celeste gracia.

¿Hay malicia
Cuando el instinto al vuelo con lo más dulce atina?

¡Qué mirada
La criatura asesta de súbito! Ya manda.

JUNTO A UN BALCÓN

Por la tarde,
El rayo de sol agudo y preciso, ya amante,

Se detiene
Sobre el lomo de algún volumen visiblemente.

Se ilumina,
Inmensa, la paz. ¿Cómo cabe en la librería?

Y el silencio
De tanta duración humana va tan lejos

Que el instante
Se yergue universal y dorado en la tarde.

NIVEL DEL RÍO

Luz sobre el agua, son entre los álamos,
Y el amor con el aire para todos.
¡Qué placenteramente va el alma hacia lo vago!
Las horas corren bien ante el ocioso.
¡Oh devaneos de ribera!
Barcas hay, y doncellas.
¿Cómo aquí no aceptar la delicia del tránsito?
Luz sobre el agua, son entre los álamos.

—Amor, veloz Amor, no pasarás conmigo.
El agua corre al mar y queda el río.

HACIA EL NOMBRE

Se junta el follaje en ramo,
Y sólo sobre su cima
Dominio visible ejerce
La penetración de brisa.
Desplegándose va el fuste
Primaveral. Ya principia
La flor a colorearse
Despacio. ¿Sólo rojiza?
No, no. La flor se impacienta,
Quiere henchir su nombre: lila.

SIEMPRE LEJOS

Sólo tú,
Siempre lejos
En secreto,
Calmas
Lo azul demasiado azul.
Gárrulas encrucijadas
Del día: el sol
En las bocas.
Para tu amor hay noche: silencio a la redonda
De tu voz.

NIÑEZ

Disparada inocencia de albor animal,
Destello de joya en bullicio,
Diamante impaciente que canta,
Pájaro nítido:
Llévanos tú bajo los soles
Que te descubren y dan sus dominios,
Arrebátanos en tus ráfagas
De paraíso,
Elévanos
A la alegría sin tacha de tu infinito.

ÁRBOL DE ESTÍO

Todo el árbol
Irguiendo está su ansia de la raíz al canto.

Se remontan
Hacia la confidencia del susurro las hojas.

Por el viento
Del estío adorable se encumbran los deseos.

Pende encima
De la copa el azul que en el viento fascina.

Ved: el árbol
Se tiende a la fruición de su azul inmediato.

SOMBRA DEL ESTÍO

Todo el prado
Tiende en torno a su centro la acción de un puro espacio.

Desde el centro,
Tan exenta es la copa que aparece a lo lejos.

Y la copa
Recoge sobre el césped su lejanía en sombra.

Césped libre
Con tanta desnudez a la amplitud asiste.

¿Desnudez?
Soy del árbol. Estío. Sueña toda mi sed.

FÉRVIDO

¡Cuántos humos
De ciudad y de cielo, cuánto hervor de crepúsculo!

Por los barrios
Se pierden los más frágiles azules solitarios.

Se extenúan
Delirios amarillos en riberas de angustia.

Los carmines
Lanzan hacia las torres nubes irresistibles.

¡Esplendor
Hasta el escándalo, clavel, celestial adiós!

ÁRBOL DEL OTOÑO

Ya madura
La hoja para su tranquila caída justa,

Cae. Cae
Dentro del cielo, verdor perenne, del estanque.

En reposo,
Molicie de lo último, se ensimisma el otoño.

Dulcemente
A la pureza de lo frío la hoja cede.

Agua abajo,
Con follaje incesante busca a su dios el árbol.

RAMA DEL OTOÑO

Cruje Otoño.
Las laderas de sombras se derrumban en torno.

Árbol ágil,
Mundo terso, mente monda, guante en mano al aire.

¡Cómo aguzan
Su pormenor tranquilo las nuevas nervaduras!

Chimenea:
Exáltame en resumen lejanías de sierras.

. . . Sí, se enarca,
Extremo estío, la orografía de la brasa.

PROFUNDO ANOCHECER

Alborozo.
Palpita con creciente pulsación el magnolio.

Los tejados
Van rindiendo al verdor, tan noble, tarde y pájaros.

Entre hojas,
Murmullos de invisible inquietud suplican sombra.

Late el árbol,
Ya quieto, con latido de corazón velado.

¿Qué es entonces?
Un más allá se crea con ternura y con noche.

ASÍ

¿Te esconde tu dolor? Te busca el mío.
Ni ahora tanta dicha gozada se oscurece
Ni se vela jamás el gran destino:
Sentirse juntos ser, y ser contra la muerte.
¿Dolor? Furor de ser. Así sufrimos.

AMOR DE MUCHOS DÍAS

Entre viandas, frutas, dulces, manteles, platos,
Entre el hervir y el congelarse, tú misma, tú,
Idéntica a tu forma feliz en los trabajos,
Sin contraste, continua, sobre el esfuerzo tú.

NOSOTROS

¿Tú, tú sola en peligro?
No entiendo. No dispongo
De espacios tan vacíos
Para absorber lo absurdo.
¿Dividir el Destino?

ACCIÓN DE GRACIAS

Noche clara, noche nuestra,
Noche que ahondas en cielo
Con luces de caserío
Los follajes de un silencio
Que permanece en el fondo
Del general cuchicheo:
Gracias, noche, que resuelves
Ese mundo que no vemos,
Bajo tus claros de nubes,
En sosiego de misterio.

LOS FIELES AMANTES

Noche mucho más noche: el amor ya es un hecho.
Feliz nivel de paz extiende el sueño
Como una perfección todavía amorosa.
Bulto adorable, lejos
Ya, se adormece,
Y a su candor en isla se abandona,
Animal por ahí, latente.
¡Qué diario Infinito sobre el lecho
De una pasión: costumbre rodeada de arcano!
¡Oh noche, más oscura en nuestros brazos!

V

EL VIAJE

Habrá un agua entre peñas,
Habrá con hojas viento,
Los mirlos buscarán alturas de álamos,
Unos cerros sin nada
Serán la pista buena de la luz,
Hasta el fondo del coche tendrá aurora,
Y entre ruedas crujientes
Y el pesadísimo entresueño
Veré avanzar los inmortales
Himnos de amor.

AHORA SÍ

El horizonte ahora es quien regala.
Sale el sol y el amor se atreve, sale.
¡Tal murmullo acumulan tantos nidos!
La tierra impone por entre raíces
Términos esponjosos, deseosos.
Ya los enamorados casi emergen
Del sueño, que se abre a un embeleso.
¡Forma tendida al lado, confiada!
Desnudez que es feliz impulsa al día.
La verdad embelesa a los albores.

ALBA MARINA, SOL, TERRESTRE AURORA

Se nivela un claror: el alba por su mar.

Alondras, desgajándose de brumas y rumores,
—¡Cuánta avecilla enhiesta para el amanecer!—
Enlazan canto y vuelo por la luz que va al mundo.

Se ahinca entre raíces la aurora: huele a sol.

GALÁN TEMPRANO

Notorio garbo de la camarista,
Toda real en las apariciones...

¡Oh dulce seno tan amanecido!

Hacia la gloria del galán temprano
Van en volandas blancas algazaras.

LA GLORIA

Madrugad, profecías, profecías,
Y relatad la gloria del insomne.
¡Amables folios! ¡Cuántas, las almohadas!
Bajo tiernos albores desvelados
Descubrirán sus minas los prodigios.

SER

El intruso partió. Puedo ser donde estoy.
Ya nada me separa de mí, nada se arroja
Desde mi intimidad contra mi propio ser.
Es él quien se recobra dentro de un cuerpo suyo
Felicísimo como si fuese doble el alma,
Juvenil, matinal, dispuesta a concretarse.
El contorno dispone su forma, su favor,
Y no espera, me busca, se inclina a mi avidez,
Sonríe a mi salud de nuevo ilusionada.
El intruso dolor —soy ya quien soy— partió.

EL MÁS CLARO

Recreándose en más luz,
La palma se expone, juega:
Mano de niño hacia el sol.
¡Alumbren así, dominen,
Embelesen a su mundo
Las simpatías rosadas
De una piel que aún se ignora!
Mano de niño solar:
Palma del único en tierra
Tan denso de amanecer.

SOL CON FRÍO

Se derrama en un aire juvenil
Una brisa de frío.

Más juvenil aún,
Jovial,
Resbala el frío sobre el sol mientras yo corro.

A través de clarísima frescura,
Con limpidez en creación me embriago.

La inteligencia es ya felicidad,
Bocanada de gracia
Como un frío de luz —que se respira.

VIRTUD

Tendré que ser mejor: me invade la mañana.

Tránsito de ventura no, no pesa en el aire.
Gozoso a toda luz, ¿adónde me alzaré?
Tránsito de más alma no, no pesa en el aire.

Me invade mi alegría: debo de ser mejor.

MEDIA MAÑANA

Los ruidos tararean un susurro
Que ya en su cielo sonaría a canto.
Susurro aquí, resbala
Sobre el sol de las once suavizándose.
Creo en la maravilla suficiente
De esta calle a las once,
Cuando la vida arrecia
Con robustez normal, dichosa casi,
Humilde, realizada.
Las once son, la maravilla es tuya.

ESOS CERROS

¿Pureza, soledad? Allí. Son grises.
Grises intactos que ni el pie perdido
Sorprendió, soberanamente leves.
Grises junto a la Nada melancólica,
Bella, que el aire acoge como un alma,
Visible de tan fiel a un fin: la espera.
¡Ser, ser, y aun más remota, para el humo,
Para los ojos de los más absortos,
Una Nada amparada: gris intacto
Sobre tierna aridez, gris de esos cerros!

LOS LABIOS

Te besaré, total Amor, te besaré
—En torno a su retiro tan continua la fronda—
Hasta rendir por ímpetu de súplica los labios
—Sin una nube el cielo sueña con una flor—
A su más fervorosa crisis favorecida,
—Frenesí de clavel bajo el sol y el azul—
Al más irresistible paraíso evidente
—A plomo el mediodía sobre nuestras dos sombras—
Que nos embriagará de inmortal realidad.
¡Tesón en la ternura, éxtasis conquistado!

DAMA EN SU COCHE

Triunfan madera y metal,
Deliciosamente acordes
Al arrullo de un desliz,
Irradiando, regalando
Placer de victoria en viento
Siempre sumiso a la guía
De unos guantes, de un volante
Bajo la fascinación
Que en relámpago de emporio
Logra la quizá beldad.

CONTEMPLACIÓN CONCRETA

¿Tantos hombres y juntos?
Ya sé: vario el embuste
Por esas calles, menos vario el crimen.
Pero esa piedra ahora solitaria
No sabe, no lo sabe.
Ni esa pared con soledad infusa,
Ni esa cornisa tan indiferente,
Hermosa para mí porque la miro.
Ni la tarde, tan libre —como yo
Cuando yo la contemplo.

EQUILIBRIO

Es una maravilla respirar lo más claro.
Veo a través del aire la inocencia absoluta,
Y si la luz se posa como una paz sin peso,
El alma es quien gravita con creciente volumen.
Todo se rinde al ánimo de un sosiego imperioso.
A mis ojos tranquilos más blancura da el muro,
Entre esas rejas verdes lo diario es lo bello,
Sobre la mies la brisa como una forma ondula,
Hasta el silencio impone su limpidez concreta.
Todo me obliga a ser centro del equilibrio.

LA BLANCURA

Recta blancura refrigeradora:
¡Qué feliz quien su imagen extendiese,
Enardecida por los colorines,
Sobre tu siempre, siempre justa lámina
De frío inmóvil bajo el firmamento!

LO MÁS GRANDE

I

Leves, enmudecidos, invisibles, los pájaros
Oían.

Un fragor de pelea, enfático fragor
De hombres,
Aniquilaba el coro de murmullos silvestres.

II

—¡Oh leves plumas, aunque aglomeradas, oh nidos!
¡Tanto fragor ahí!
—Aquí, dentro del viento. ¡Dentro, dentro del viento!

No soñaban los pájaros.
Levísimos, sentían que el viento es lo más grande.

TIERRA QUE HUELE A TIERRA

Satisface remover
En su retiro y sustancia
La apretura del terrón,
Que más oloroso entonces
Descubre su fundamento.
Aquella esencia, de súbito,
Acomete como aroma,
Y con tanta juventud
Que alumbra en la brisa augurios
De toda una eternidad.

FRÍO

¿Qué me insinúa el frío bajo el viento?
Rachas se aguzan, rumbos se descubren
Y brillan, claridades incisivas
Me hostigan. ¿Son alertas? ¿Es urgente
Detener, conocer a los correos
Que apresura esta luz tan apremiante?
Marzo invasor, perfiles de desnudos
A través de peleas, tensos chopos,
Rachas hacia un imán. ¿Adónde? Frío.
¿Va a guiarme el enigma? Rumbos, rumbos.

PERRO

¿Desde qué amanecer me miran esos ojos?
Con pureza de próximo que no es cómplice humano
—¡Pupila tan pueril junto a un iris tan grave!—
Asciende esa mirada de tan remota fe.
¿Desde qué abismo tierno me miran esos ojos?

EN EL AIRE

En el aire, la luz.
                    ¿Hay soledad?
Hay desnudez vacante
Con trasparencias en expectación,
Algo como un vacío sonriente.

¿Vacío?
        Luz. ¡El aire!
                    Algo cruje, futuro:
Un porvenir tan leve que se agrega al silencio

¿Nunca ha sido la nada?
                    Hoy no es.
A través de la luz, desnudas, vibran
—Mayo siempre con Venus— una espera,
Una esperanza.

AMPLITUD

Lejos, abajo, los pinares tienden
Masas de duración. Son los oscuros
Verdores que, ceñidos a la tierra,
Desde abajo extendiéndose, levantan
La quietud en tensión de los follajes
Prietos. Y densamente duran, verdes
En su avidez de una amplitud de cima,
De una cima sin fin a la redonda,
Mientras cunde y se exalta por sus círculos
Aquel olor a espacio siempre inmenso.

BUQUE AMIGO

¡Oh firme buque en el informe golfo!
Ola, si al fin actual ya resbalada,
Entre ser y no ser tan indecisa,
Raptos de bruscas rachas, ¿qué designios?
Brisas, fértil azar, hervor de rumbos,
Impulsores de velas coincidentes,
Formas de cielos rápidos en tránsito...
¿Zozobrará, zozobrará ese buque
Frente al avance de los muelles últimos,
En las aguas precisas? ¡Ay, el puerto!

ÁNGULO DOMÉSTICO

Aquellos muros trazan la intimidad de un ángulo
Tan luminosamente sensible en su reserva
Que a los dos personajes allí dialogadores
—Discursivo el galán, muy cortés la señora—
Se ofrecen en concierto la ventana y un mapa.
El día de una calle, quizá de algún jardín
Acompaña dorando, templando su valor
En vidriera y pared. Continentes, océanos,
Todo converge allí. ¡Qué intimidad de estancia,
Qué azul de terciopelo! La atención es un éxtasis.

LA TARDE EN LAS HOJAS

Por una profundidad
Favorable a lo dorado,
Un poco de sol muy denso,
Recogiéndose entre algunas
Ramas, sobre sus verdores,
Establece una quietud
De calor con su avenida
Para mí, sumido en sombra
De estancia a las tres: verano
Desde dentro hacia la tarde.

UNA PARED

Bajo un cielo que siempre exige campo,
Entre aquellos solares y desmontes
Seduce una pared
Muy blanca.
Y el cielo se aproxima natural,
Y se asoma tras la pared,
Si apenas silvestre, blanquísima:
Consolador presagio de la noche
De embeleso y de luna
Por campiña o jardín con dos dichosos.

MÁS AMOR QUE TIEMPO

En tus ojos entonces a la luz adoré.
Y aunque el tiempo, tan íntimo, nos ceñía parándose
Tiernamente, sin fuerzas para querer pasar,
Sentí de pronto en vértigo los minutos, los días
Como una sola masa de precipitación
Que sin cesar corriese, descendiese, cayese
Arrastrando un terrible porvenir fugacísimo,
Quizá de muchos años, de mucho amor. ¿Y qué?
¡Si el presente nos colma de tal dominación,
De un ímpetu absoluto sin encaje en el tiempo!

BUENA SUERTE

A través de retornos coléricos de choques,
Barajándose estúpidos los espantos mortales,
Entre filos y filos de un riesgo que es historia,
Convirtiéndose aún la aventura en más alma,
¿Persiste en creación la suerte de un planeta?

LOS JARDINES

Tiempo en profundidad: está en jardines.
Mira cómo se posa. Ya se ahonda.
Ya es tuyo su interior. ¡Qué trasparencia
De muchas tardes, para siempre juntas!
Sí, tu niñez, ya fábula de fuentes.

GRAN SILENCIO

Gran silencio. Se extiende a la redonda
La infinitud de un absoluto raso.
Una sima sin fin horada el centro.
Y sin cesar girando cae, cae,
Ya invisible y zumbón, celeste círculo.

A PESAR DE TODO

Sordos al atropello de voces y altavoces
En una batahola de pregón y cartel,
Extraños a la masa continua del bullicio,
—Montones que se ignoran entre el calor y el polvo—
A pesar de las redes invisibles del aire,
—Tanto crimen difuso, tanto cómplice ardid—
Se abrían paso a pie, despejaban su ruta,
Oyendo alrededor la algarabía amiga,
Gozando —sin mirar al cielo— del azul,
Seguros, implacables, los dos enamorados.

LOS AMIGOS

Amigos. Nadie más. El resto es selva.
¡Humanos, libres, lentamente ociosos!
Un amor que no jura ni promete
Reunirá a unos hombres en el aire,
Con el aire salvándose. Palabras
Quieren, sólo palabras y una orilla:
Esos recodos verdes frente al verde
Sereno, claro, general del río.
¡Cómo resbalarán sobre las horas
La vacación, el alma, los tesoros!

HASTA LA SOMBRA

¿Y quién así varía tan umbrío?
¿Es de veras la sombra
Quien me regala en variación su oscuridad,
A punto ya de ser azul
De un ondear marino,
Sin duda verde allí, por esa cala?
¿Es tal vez una siesta con un pájaro
Que se tornasola, recóndito?
¿Quién, quién,
Tan múltiple ocurrente y más umbrío?

ESTÍO DEL OCASO

Sobre el terrón, ahora oculto, nieve.
Sobre esa nieve, la invernal carencia,
Algo supremo sustraído al aire
Que se ciñe a la rama,
Tan solitariamente rama aguda.
Y sobre la arboleda —nervio todo y crispándose—
La gran hora del cielo,
Rubores de algún pórfido en boatos
Que se nos desparraman con su estío:
Agresión de esplendor contra la nieve atónita.

¿OCASO?

Íntima y dúctil, la sombra aguardando aparece
Sobre las piedras y sobre las brañas. Lo oscuro
Se junta. ¿Fin? El silencio recibe en su alfombra
Los sones menguantes del mundo. Pozo de ocaso,
Nada se pierde. La tierra en su ser profundiza.

RICO OCCIDENTE

¿Catástrofe?

No hay catástrofe,
No hay muerte en ese derrumbe,
Tras el horizonte. Mira
Cómo un frenesí de flor
Se trasforma en un despliegue
De leonadas florestas
Que todo lo dan, granates
Ya con sus derroches últimos,
Riberas del universo
Máximo.

Piso tesoros.

LAS MÁQUINAS

Tanta armonía a punto de vibrar
Tiembla. ¡Qué encrucijada de crujidos!
Fragor. Y se derrumba en un escándalo
De máquinas, sin transición monótonas.
Se deslizan los émbolos. Son suaves
Y resbalan. Exactos, casi estúpidos,
Los émbolos se obstinan. Quieren, quieren
Con ansia tal que llega a ser aliento.
Hay un latido de animal. Se excita
La exactitud. ¡Exactitud ya tierna!

LOS SUEÑOS BUSCAN

¿Los sueños buscan el mayor peligro?
A pie, con abandono, sobre césped
Van por la orilla de una infancia en sombra.
(Entre sombras perdura aquella infancia.
Aun la impone una espera indestructible.)
¿Así tú, caminante sin oriente,
Avanzarás hasta perderte, niño?
Copas, troncos te aguardan con silencio
Mortal... No. ¡Grita, rómpelo! Y el bosque
Te acogerá con un rumor amigo.

DE NOCHE

He ahí lo más hondo de la noche.
No te turbes, que dentro de lo oscuro
Te rendirás a sus potencias breves
Bajo un sigilo sin horror ni enigma,
Hostil al coco, dócil al encanto.

UN NIÑO Y LA NOCHE EN EL CAMPO

¿Contra quién se encarnizan —no hay nadie— las tinieblas?
Temblando el miedo con sus sombras se exhala en ráfagas.

Entre el ver y el dormir
Un niño dice:
—¡Ya estarán pasando los toros!

¿Entonces?
                    Bastará
Disponer más oscura la defensa:
¡Esconderse en el sueño!

Y el niño va durmiéndose mientras de las tinieblas
Surgen bultos campales, noche agolpada, toros.

LOS FUEGOS

Es tu noche, San Juan, da tu amor a lo oscuro.

Estrellas hay que son también paisaje.
En el silencio nuestro se reúnen.
Compañía piden al campo.

¡Oh noche de San Juan, negror, ardor, amor!

A las estrellas buscan unas llamas cantoras
Alzándose, callándose,
Ciñéndose a lo negro reservado,
Tan amoroso ya, desnudo.

Es tu noche, San Juan, da tu amor a lo oscuro.

BOSQUE Y BOSQUE

Los sumandos frondosos de la tarde
—Prolija claridad, uno más uno—
Son en la suma de la noche ceros.
¡No los ceros solemnes de la nada!
Anillos para manos de poetas
Que alzarán un gran bosque sobre el bosque,
—¡Oh frescura de frondas imposibles!—
Bajo un rumor de números ardientes,
Henchidas presidencias necesarias.
Ceros, ya anillos, fulgen con los astros.

NOCHE ENCENDIDA

Tiempo: ¿prefieres la noche encendida?
. . . Bien, radiador, ruiseñor del invierno.

¡Qué lentitud, soledad, en tu colmo!

¿La claridad de la lámpara es breve?
Cerré las puertas. El mundo me ciñe.

NO ES NADA

Entonces, la Nada.
                    Nada:
Caber en opacos ceros,
Henchir toda su abstracción.

¿Algo entre silbos y tumbos
Con suavidad disimula
Su silencio sin salida,
Su resaca sin retorno?

Es inútil.
          Por el ser
Más atropelladamente
Zumban ondas. Son, serán.

AMOROSO Y NOCTURNO

Nuestras plantas ignoran la tersura
De este solar intacto de la noche,
Que la efusión de huellas siempre elude.
¡Tan ligeros los pies —sobre cristales
Intangibles— alados o en volandas!

ANULACIÓN DE LO PEOR

Sin luces, ya nocturna toda, bárbara,
En torno a los silencios encrespándose,
La noche con sus bestias aulladoras se yergue.

¿Una aprensión te angustia?
No temas.

Los aullidos,
El mal con sus galápagos, sus gárgolas,
Noche abajo enfangándose, cayendo,
En noche se trasfunden. La noche toda es fondo.
Espera, pues.

El sol descubrirá,
Bellísima inocente, la simple superficie.

UNA SOLA VEZ

Muerte: para ti no vivo.

¿Mientras, aguardando ya,
Habré de ahogarme en congojas
Diminutas soplo a soplo?

Espera.
            ¡Sólo una vez,
De una vez!
                        Espera tú.

¿Ves cómo el hombre persigue,
Por el aire del verano,
Más verano de otro ardor?

Vivo: busco ese tesoro.

LA NOCHE, LA CALLE, LOS ASTROS

Noche fiel, pulsación bien estrellada,
Solicitud total: gobierna el cielo.
Y se ahonda en seguro laberinto
La calle tan sabida que refiere,
Profunda al fin, su límite a los astros.

NIEBLA

El cielo de color ya casi abstracto
Confina, aunque ideal, con la arboleda.
¡Oh masa de figuras sin memoria,
Oh torpe caos! Todo se es remoto.
Lo gris relaja al árbol, ya inexacto.

MADRUGADA VENCIDA

¡Cuántos más sueños siempre tras un sueño!

Algo aplazado sin cesar espera.
(Insomnes hay que entonces roen noche.)
Desiertos, derivándose de nubes,
Fluctúan agravando la intemperie
Sobre las grietas de la madrugada.
(Más al tiempo corroen los dormidos.)
Todo el vapor, al fin, de tanta luna
Se desvanece. Lo aplazado espera.

Sombras descorre un cielo confidente.

4

AQUÍ MISMO

No es esto filosófica fatiga,
Trasmutación sutil o alquimia vana
Sino esencia real que al tacto obliga.

LOPE

LOS BALCONES DEL ORIENTE

Mas apenas comenzó a descubrirse
el día por los balcones del Oriente...

QUIJOTE, I, 13

Madrugada.
Emerge contra la nada
Luchando el ser —de mal ceño.
Se embrollan entre dos luces
Torpes cruces
Del amanecer y el sueño.

Amanece
Turbio.
¿Todo resurge en suburbio,
En un martes, en un trece?

Puerta de vinos. ¡Tan pobre,
Sorprendida
Por la vida!
Sonará ya el retintín
De algún cobre
Sobre
Tanta lámina de zinc
Que al madrugador conforta.

¡No es tan corta
Para un hombre esa jornada
De lucha contra la nada!

A deshora,
Noche en ventana. Bombilla
Vela humilde: calderilla
De la luz trabajadora.
¿Y la aurora? ¿Dónde mora
La doncella que es Aurora?

Con una luz casi fea,
El sol —triste
De afrontar una jornada
Tan burlada—
Principia mal su tarea.
Y tanta sombra persiste
Que la luz se siente rea
De traición al nuevo día.
¿Quién se fía
De este sol de barrio aparte,
Si con ninguna alegría
Nada universal reparte?
Mas la bruma soñolienta
Que se inventa
Como un soñador sin arte
La ciudad medio dormida,
Con suerte muy desigual
Mezclándose al cielo bajo,

Parece al humo señal
De acogida:
¡Honda bruma de trabajo!
Humo a los aires horada
Por chimenea valiente.
¡Brío, brío
Contra el posible vacío
Que hasta una Nada presiente!
No es, no será la Nada.
¿Sin ser nos va a dominar
Con auxilio de ese azar
Hostil a toda figura?
Tentativa:
Mundo en formación. Paciente,
De mano en mano se activa
La madrugada. No hay gente
Que oiga mejor las sirenas.
Gente oscura:
Carbón sobre azul. Apenas
Cielo
Pende sobre los talleres:
Multitud. ¿Y el propio anhelo
Continuo de tantos seres?
Triste el sol,
Tras nubes sin arrebol,
Columbra tierra en montones
De un amargo amanecer.
¿Así, ciudad, te dispones
A llegar del todo a ser?

Valla. Solar. Campos viejos
En espera
De un amor que los ahonde.
Siempre aurora es primavera
Que jamás está muy lejos.
Pero ¿dónde?

Anuncios. A los carteles
Aquí, por el barrio, se les
Destiñe el color: olvido
Ya dulcemente llovido
Sobre Ayer.
¡Es tan corta
Para el mundo una jornada!
Mas no importa.
Luchará contra la nada
Todo el ser.

Amanece
Turbio.
¿Todo resurge en suburbio,
En un martes, en un trece?

Tejados. Queda evidente
La pizarra pavonada:
Terso gris,
Aunque insidioso el relente.
¿Siempre la vida en un tris?
Lucha el ser contra la nada.

DESPERTAR

Nada. Tinieblas muelles.
Y de un golpe... ¿Qué, quién?

Restauración por vértigo,
Brusca restauración en aquel bulto
Que estaba así negándose,
Dulcemente dormido.

Negándose. ¿Negado?
Por la memoria alboreada irrumpe,
Vertical y de súbito,
Una abertura hacia el vacío.
¿Es una sima?
Sima... ¿De dónde?
Aquel bulto se siente ser, no está.
Casi ahogándose cae, cae. ¿Cuándo?

Y una angustia, relámpago en albor,
Ilumina el olvido y su desierto.
El atónito cae, se detiene.

Yo. Yo ahora. Yo aquí.
Despertar, ser, estar:
Otra vez el ajuste prodigioso.

GALLO DEL AMANECER

(Sombras aún. Poca escena.)
Arrogante irrumpe el gallo.
—Yo.
        Yo.
                Yo.
                        ¡No, no me callo!

Y alumbrándose resuena,
Guirigay
De una súbita verbena:
—Sí.
      Sí.
          Sí.
              ¡Quiquiriquí!

—¡Ay!
Voz o color carmesí,
Álzate a más luz por mí,
Canta, brilla,
Arrincóname la pena.

Y ante la aurora amarilla
La cresta se yergue: ¡Sí!
(Hay cielo. Todo es escena.)

LA NIEVE

Lo blanco está sobre lo verde,
Y canta.
Nieve que es fina quiere
Ser alta.

Enero se alumbra con nieve, si verde,
Si blanca.
Que alumbre de día y de noche la nieve,
La nieve más clara.

¡Nieve ligera, copo blando,
Cuánto ardor en masa!
La nieve, la nieve en las manos
Y el alma.

Tan puro el ardor en lo blanco,
Tan puro, sin llama.
La nieve, la nieve hasta el canto
Se alza.

Enero se alumbra con nieve silvestre.
¡Cuánto ardor! Y canta.
La nieve hasta el canto —la nieve, la nieve—
En vuelo arrebata.

TEMPRANO

Todo el frío es un blanco:
Blanco en olor a verde.
¡Qué leve
La calle bajo el cielo derramado!
Huele
Casi a manzana.
¡Verdor agraz!
Casi verde
Queda la escarcha
Sobre algún césped.
Ver
Quisiera el cristal
De la ventana.
¡Oh, ver bien
Las primicias crecientes,
Esa gracia
Que al surgir se da más!

Franco
Va siendo el aire.
¡Le aguardan tantos!
Más se aguza la luz por esa calle:
Un galgo.
Resistiendo persisten vagas profundidades.

Valles
Rondan por los tejados.
Un poco de campo
Se esparce
Con la mañana.
¿Hay ya toques de nieve
Que se declara,
O sólo velos casi ya crujientes
De mucha escarcha?
Bien tiritan las manos
De las aldabas.

Todavía se ahonda mucho sueño
De dos.
Apenas hay rumor
Por el aire ligero.
¡Tantos quieren
Silencio!
Recién nacido viento
De extramuros presiente
Más sol, un sol de matas y de mieses
Con fuerza
De aroma hasta los barrios y las piedras.
¡Fresco mundo aun remoto!
Las distancias,
En el frío extendiéndose,
—¡Cuánta amplitud aborda las manos y los ojos!—
Esperan y se ciernen
Frías, profundas, verdes bajo su madrugada.

LUZ NATAL

I

Tan anchamente se ilumina el llano
Que apenas le dibuja como valle,
Por fin, el horizonte.

Horizonte de lomas
Donde apunta desnudo
—Cimas jamás surcadas—
Un trozo de universo.
¿Desolado? Ya no.
Con tanto ahinco dura
Que hasta su bronca eternidad atrae:
Caliza gris que se reserva humilde,
Gris de una lucidez
Como si fuese humana.

Sin cesar revelándose planeta,
Ese cerro asordado
Se me reduce a fondo
Que a través de su nombre se divisa:
Cerro de San Cristóbal.
Si con su modelado se me rinde,
Me ayuda con su luz.

¡Oh luz del universo,

Para mí tan natal
En alegría de revelación
Henchidamente!

Luz de esta Castilla
Me impone mi destino:
Ser ahora y vivir
Dentro de este retorno del minuto
Que a respirar me fuerza
Frente a un mundo que tanto me define.
Persistiendo en mi ley
Gozo determinándome,
Preciso ante un confín
De criatura alzada
Sobre su propia cima: criatura
De las generaciones.

II

Han corrido las sangres
Como ríos en busca de otros ríos.
Y sin final se precipitan, corren,
Corren hasta perderse,
Nuevas, recién lanzadas por los cruces
De una red que se intrinca,
Emboscadas las lindes
De la incesante selva.

¿Desde dónde hacia dónde?

Eternidad también
Que sobrepuja al tiempo y su maniobra,
A todos los estériles paréntesis,
A toda oposición de cataclismo,
A los fuegos del hombre y sus ideas,
Eternidad de ríos estivales
Que son un río solo como el mar.

¿O más que el mar? Trascurre, se trasmite,
Más feroz que en su máscara de muerte,
Vida a estilo de vida.
¡Generaciones de generaciones,
Jardines sobre lechos,
Cuánto nacer innúmero hacia el sol!

Y entre las criaturas,
Una vez... ¡Ah! Yo. ¿Yo?

Yo ajustado a mis límites:
El ser que aquí yo soy, sobre esta cumbre,
Bajo este firmamento
No escogido por mí.
¡Gracias!

Heme también aquí. ¡Regalo!
Regalo para quien
¡Ah! nada merecía,

No era nada ni nadie.
Os debo a ti y a ti
Mi don de ser a gusto
Por entre tantos seres,
Mis frases impelidas
Por palabras que son de vuestras bocas.

¡Historia ilustre, libertad en blanco,
Sustentación de patria!

Tú, mi gran responsable,
Tú encendiste la chispa suficiente
Para sentir el ser como fortuna,
Para exaltarme el ansia hasta la obra,
El amor hasta el hijo.
Llega a mí tu energía
Como enlace con todas las firmezas,
Sin cesar navegando en la corriente
Sin principio ni término.

¡Oh padre generoso,
Siempre comba de amparo,
A pie quieto muralla entre ese mundo
Terrible y nuestra dicha,
Con tanto despilfarro de ti mismo
Luchador de una lucha
Que fuera sumo juego,
Alma ya sin cesar tan aplomada,
Sin cesar en tu temple

De varón generoso!

Me aguardaba la tierra con el cielo
Bajo tu poderío,
Mano tendida hacia la criatura
Nueva aún, expectante.

Entre el destino y vuestro amor surgía
—¡Oh supremo caudal aquí!— España.

III

Son leves diferencias: todo un mundo.
Cierto arranque del alma,
Un no sé qué de fibra
Que desplegara espíritu,
Cierto andar. Con el porte,
Esa inflexión —tan única— de voz.

Y la palabra. ¡Nuestra, la palabra!

Vida común irreductible a idea,
Si creación de tantos,
Próximos a sus cielos,
—Móviles cielos nunca detenidos—
Definición de nadie.
Realidad, realidad

En tornasol, en mente.

Entre muros y torres ved el aire:
Un aire de afluencias matutinas
Que también será ardor
Hasta por las penumbras y las sombras.

¿Y quién te encerrará,
Movimiento del fuego?
¿Habrás de resignarte a ser ceniza,
Mortuoria ceniza problemática?

Mientras, la Historia... ¿Dónde?
Historia por mis venas y mis huesos,
Historia en este soplo
Que alentándome está la frase actual.

¿Amarillentas ruinas?
¿Y el impulso que llega de vosotros,
Los vivientes aún
En esta pulsación que marcha sola,
Sin mí, tan mía, yo?

Yo, bajo mis vocablos
Resonantes de rutas,
A través de mi propia libertad
Hacia lo todavía no existente,
Hacia las tardes de una luz que espera,
De un matiz que no vive nunca solo.

¿Habrá de ser mi mano
Quien tal vez os colore,
Trémulas tardes indeterminadas?

Algo fué que es futuro:
Incógnita filial,
Juventud que no cesa.
¡Oh patria, nombre exacto
De nuestra voluntad, de nuestro amor!

IV

Los terrenos ondulan, y continuos.
Es el planeta patrio.
Minúsculo, visible,
Para todos esférico,
Girando va con todos.
¡Oh común ansiedad, oh patrias juntas!

Completa redondez
Para nuestras dos manos...
Pilas, moles, derrumbes
Y polvo, polvo, polvo
Si no el tizón y el humo.

¿O tierra para el agua?
Agua de aljibe lleno

Que predispone a trasparencia el día,
Agua en temblor alzado
Por las gotas de lluvia,
Agua salina de los oleajes,
Océanos, el mar, un solo mar.

Entre arenas y frondas, hacia orillas,
Entre vientos y llamas,
El sí, el no del animal que elige,
Que ya se elige humano,
Tan capaz de ser hombre.

Es él también aquél, ya sobre tablas
De fiesta y prepotencia.
Mirad su catadura.
Desde el testuz de toro,
Las crines de un león muy jaspeado
Por la piel relumbrante.
Y un sonreír de estío que ilumina
Boca, dientes y voz,
Voz de halago que ahora,
De pronto, se oscurece,
Airada contra el aire.
Escándalo, poder, pelea, crimen,
Y una abstracción con lujo de uniforme,
La multitud en torno a su enemigo,
Razones y razones, muertos, muertos.

¡Cómo pulula el incidente humano!

No hay soledad de Historia.
¿Apartadizos? Juntos.
¡Compañía terrible,
Dulce y consoladora compañía!

Oíd: un hombre al habla.
¡Manifiesto el espíritu!
Es el habla común:
Amorosa invasión de claridad.

V

Que ni un solo sabor
Se nos anule en giros de planeta.
¡Hermosas precisiones!
Gracia natal: España.

Ese cielo agudísimo de calle,
Ese centellear
Cerámico de cúpula,
Este rumor de esquina
Conversada me entienden.

Aquí soy consistencia de este valle,
Un chopo de una margen,
Atmósfera tangible de llanura,
Calor aún de viento

Sobre aquellas espigas.

¡Cuántas vivacidades
Por ahí derrochadas
Que el corazón reúne: mi tesoro!

Y las desolaciones de granito,
La desnudez que entrega estos perfiles...
¿Serán quizá mis huesos
Quienes mejor respondan
A esa llamada oscura,
Para mí complaciente?

Sonando, despejándose,
Ya la profundidad de la mañana
Me conduce otra vez a mi memoria.
Os rendisteis, mirada con silencio,
Reticencia en repliegue que no oculta.

¿Y si ya no quedara entre nosotros
Más que civil abismo?
Abismo, sí, tal vez, de sol viviente.

¿Por deber? Por instinto que bien sabe,
Por hábito de amor,
Por la infancia de entonces
Bajo esta madurez ahora encima,
Te son, tierra, leales mis raíces
Más inocentes. Sólo así perdura

Mi ahinco meridiano.

¿Y el ceño de tu rostro en este día?
¿Y tanta depresión tan disolvente?
Tú sólo existes, áspera, risueña,
Para mi amor, para mi voluntad,
Para creer creándote.

¿Destino? No hay destino
Cifrado en claves sabias.

¡Problema! Polvoriento
Problema del inerte,
Profecía del antivisionario,
Cobarde apocalipsis...
Problema, no, problemas
Limpios de lagrimada vaguedad.
Que los muertos entierren a sus muertos,
Jamás a la esperanza.
Es mía, será vuestra,
Aquí, generaciones.
¡Cuántas, y juveniles,
Pisarán esta cumbre que yo piso!

Esperanza agarrada a la cautiva
Sucesión: a través del tiempo, tiempo.
Confío mi esperanza a este planeta
—En su presente forma de terruño.
A pleno acorde aquí

Todo mi ser apunta.

Aquí, tan verde el agua hacia más agua,
Siempre hacia su futuro, su infinito.

VI

Orea una frescura:
Frescura de Castilla en el encuentro
De los dos ríos, de los dos verdores.
¡Vibración de riberas,
Frondas ante corrientes!
Hay murmullos de cielos arrojados,
Acercados, amigos.

Y los pinares con aromas hondos
De energía fluída,
De potencia guardada.

Se yerguen sin brillar trigales nuevos,
—Después tan acogidos a la luz—
Nuevos en la mañana de los tallos
Que verdean, se afilan.

Verdes aún las hojas de los chopos:
Hojas de una impaciencia
Que habrá de serenarse en amarillo.

¡Primavera irrumpida!
Tiende a cielos enteros
Esa planicie que la vista abarca,
Sin cesar dominante.

¡Paredes y solaz de sol benigno!

Los grises de los cerros luminosos
Con más color se avivan,
Y el aire se me ensancha en luz natal,
En eso que yo soy.

Me equilibra este cerro de horizonte:
San Cristóbal modestamente puro,
Eminencia ofrecida como calma
De nadie para todos,
Local eternidad.
Y la tierra caliza
—Sin surcos acerándose—
Nos refiere a su término
Familiar y no hollado,
Término de planeta nunca antiguo.

RIACHUELO CON LAVANDERAS

Los juncos flotan en el riachuelo,
Que los aguza sobre su corriente,
Balanceados como si avanzasen.

No avanzan. Allí están acompañando,
Verdeamarillos hacia el horizonte,
El rumor de una orilla laboriosa.
    En la masa del agua ya azulada
    Chascan las ropas, de creciente peso
    Bajo aquel ya raudal de un vocerío.

¡Oh riachuelo con flotantes grises
Por el verdor en curso que azulándose
También se esfuerza, todavía alegre!

Rasgueos de cepillos, dicharachos,
Ancha sobre algazara la mañana.
Acierta así la orilla, femenina.
    ¿Se vive arrodillado en las riberas?
    Inclinación forzosa de figura...
    Ese borde está ahí. ¿Tormento el mundo?

Fluvial apenas hacia un oleaje,
Chispeando, sonando, trabajando,
El riachuelo es más: hay más mañana.

LA FLORIDA

J'ai heurté, savez-vous? d'incroyables Florides.
RIMBAUD

Todas las rosas son la misma rosa
JUAN RAMÓN JIMÉNEZ

Con la Florida tropecé.
Si el azar no era ya mi fe,
Mi esperanza en acto era el viaje.
¿El destino creó el azar?
Una ola fué todo el mar.
El mar es un solo oleaje.
¡Oh concentración prodigiosa!
Todas las rosas son la rosa,
Plenaria esencia universal.
En el adorable volumen
Todos los deseos se sumen.
¡Ahinco del gozo total!

El universo fué. Lo oscuro
Rindió su fondo de futuro.
Y el cielo, estrellado en secreto

Aquella noche para mí,
Respondió con un solo sí
A mis preguntas sin objeto.
    Alrededor, haz de vivaces
    Vínculos, vibran los enlaces
    En las nervaduras del orbe,
    Tan envolventes. ¡Cuántos nudos
    Activos, aún más agudos
    Dentro de quien tanto se absorbe!
¡Distancia! Sin cesar palpable,
Por el sol me tiende su cable,
Espacio bajo claridad.
Respiro la atmósfera toda.
El ángel más desnudo poda
Sin cesar la frondosidad.

¡Tiempo todo en presente mío,
De mi avidez —y del estío
Que me arrebata a su eminencia!
Luz en redondo ciñe al día,
Tan levantado: mediodía
Siempre en delicia de evidencia.
    ¿Pero hay tiempo? Sólo una vida.
    ¿Cabrá en magnitud tan medida
    Lo perennemente absoluto?
    Yo necesito los tamaños
    Astrales: presencias sin años,
    Montes de eternidad en bruto.

MÁS VERDAD

I

Sí, más verdad,
Objeto de mi gana.

¡Jamás, jamás engaños escogidos!

¿Yo escojo? Yo recojo
La verdad impaciente,
Esa verdad que espera a mi palabra.

¿Cumbre? Sí, cumbre
Dulcemente continua hasta los valles:
Un rugoso relieve entre relieves.
Todo me asombra junto.

Y la verdad
Hacia mí se abalanza, me atropella.

¡Más sol!
Venga ese mundo soleado,
Superior al deseo
Del fuerte,
Venga más sol feroz.

¡Más, más verdad!

II

Intacta bajo el sol de tantos hombres,
Esencial realidad,
Te sueño frente a frente,
De día,
Fuera de burladeros.
Eres tú quien alumbra
Mi predisposición de enamorado,
Mis tesoros de imágenes,
Esta mi claridad
O júbilo
De ser en la cadena de los seres,
De estar aquí.

El santo suelo piso.
Así, pisando, gozo
De ser mejor,
De sentir que voy siendo en plenitud,
A plomo gravitando humildemente
Sobre las realidades poseídas,
Soñadas por mis ojos y mis manos,
Por mi piel y mi sangre,
Entre mi amor y el horizonte cierto.

Son prodigios de tierra.

VARIO MUNDO

I

Corro hacia ti, sorpresa,
Búscame tú. Me bastará el matiz
De repente surgido. ¡Novedad que no pesa,
Ráfaga de frescor en un desliz!

Sólo un deslizamiento
Que derive su prisa
De mi propio contento.
Nada más esa brisa
Con materia de roce que el carruaje
Devana
Yendo tras el mensaje
Mayor, tras el aroma total de una mañana.

II

Y la mañana fué, se me cumplió.

La hora
Me ofrecía paisaje más callado
Que yo.
Paisaje en que no aflora

La determinación de ruidos ni de masas
Como si aquel estado
De vaguedad quisiera
Dejar más en secreto aquellas casas
Ya tan ceñudas ante mi carrera.
Pueblos atravesados en que el sueño
General comunica
Su espesor a la extraña
Clausura de la atmósfera. (No hay dueño
Que perturbe o coarte
Con números maraña
Tan rica
De reposo que ya se cierne aparte,
Sobre los no dormidos.)

La espadaña
Se mostraba a los montes
Por donde se tendía mi ansiedad de viajero.
¡Sentir en la ascensión la curva de la tierra,
Tierra de los orígenes con toros y bisontes,
Profundo espacio entero
Que en círculos crecientes se propaga y se cierra!

Arriba
La intemperie enfriaba los celajes.
Se me acercaron cielos interinos.
Quien sobre nieblas iba
Por aquel puerto, ya con sus pasajes
Celestes, ¿no hallaría más humildes caminos?

III

Entonces... De la nube,
Confusión acogida como apoyo,
—Flotaba como tierra sobre tierra flotante—
Surgiendo muy despacio
Con mi máquina, tuve
Que descender. Buscando aquel gran hoyo,
Iba rumbo a un levante
Que me insinuaba tintes de un palacio,
Reflejos de una aurora en las vidrieras
Por fortuna entrevistas
Junto a los desgarrones de otras nubes más bajas,
No por celestes menos verdaderas:
Cúmulos de amatistas
Que a los cielos asocian las restantes alhajas.

De todos los verdores próximos al camino
Salían los murmullos del estupor temprano.
El haz de una arboleda se alzaba hacia mi mano,
Que a un valle de más frutos presentía vecino.
¡Aquel descenso casi en espiral!
El coche se entregaba al sinuoso
Destino:
Asordar la constante
Modulación de curva entre el zarzal

Con las pintas rosadas de su flor
Y la roca en acoso.
¡Cuánto mundo real! Grité. Levante
Prometía y rendía mundo revelador.

IV

Como el presente alud de una energía
Que por su porvenir se desparrama,
Ya la velocidad desenvolvía,
Anunciando hermosuras
No del todo futuras,
Un aroma de viento sobre rama,
De florestas alegres hacia su panorama,
Hacia la inmensidad unida en un asombro,
Frente al anfiteatro que reclama
Protagonista. ¿Yo? (Yo lo soy si le nombro
Con toda mi sorpresa.)

Sorpresa de viajero:
Remotas invenciones son mías de repente.
Sobre un despeñadero
La piedra calculada de su puente,
Por los declives árboles en fuga,
Pueblos sobrevenidos a los montes,
Lago con unas islas que no enjuga
Tibieza de interior,

En las vertientes de los horizontes
Palacios diminutos que esperan al señor
Siempre invisible, casas
A nivel de un jardín
Que ahondan lejanías de helecho soleado,
Un avance fluído que predice su fin,
—Arena ya marina por un vado,
Ya espumas bajo gasas
De niebla—
Bancales fructuosos para campiñas rasas,
Otro impulso de río con mujeres a nado,
Amplitud de llanura que se puebla...

V

Alto aquí. ¿Por qué no? Delicia de paraje
Con un nombre que ignoro. Predios y sendas, vacas.
Un balcón. Gentes con sus costumbres.
Yo no traje
Las mías. ¡Intervalo!
Flores. Pinturas. Lacas.
Yo soy su amigo como si existieran ya dentro
De mi mundo habitual.
¿Nunca se elude el centro,
Nunca habrá una evasión que me trasforme
Las verdades? También aquí mi capital.
Me ciñe siempre el círculo de un mundo siempre enorme.

LAS SOMBRAS

Sol. Activa persiana.
Laten sombras. —¿Quién entra?
. . . Huyen. Soy yo: pisadas.

(¡Oh, con palpitación
De párpado, persiana
De soledad o amor!)

Quiero lo trasparente.
También las sombras quiero,
Trasparentes y alegres.

(¡Las sombras, tan esquivas,
Soñaban con la palma
De la mano en caricia!)

¿Tal vez mi mano? Pero
No, no puede. Las sombras
Son intangibles: sueños.

LAS LLAMAS

Las llamas buscan noche,
La noche atesorada
Más allá, la muy noble.

¡Con qué avidez indagan
Avanzando por ámbitos
Desolados! ¿No hay nada?

Tanto se obstinan, tanto
Que asciende a sus desiertos
Oro maravillado.

¿No basta el oro? ¡Viento,
Aparece, socorre
Con tu forma al deseo!

...Y creándose, torpes
Manos palpan un cuerpo:
Toro aún y ya noche.

LAS NINFAS

En alto a solas, buscan
Aquel fulgor de un sol
Que las quisiera puras.

Y, gloria, la terraza
Levantará recién
Perfecta su mañana.

¡Cielos ya las alturas
Populosas de luz
Sin cortes ni penumbras!

Y la beldad resalta
Como una forma afín
A su interna esperanza.

Más: asciende a fortuna
Mayor de realidad
La carne así desnuda.

SANTO SUELO

Tarde, por fin, querida en su entereza:
He aquí la ventura.
Todo aflora al nivel de este apogeo
Tranquilo:
Nosotros con la tarde.

Dentro de nuestra calma,
Frente al cristal, ahí,
Las ramas de un arbusto en vibración
Continua
Van ondeando en sombra y sol los verdes
Movidos de sus hojas,
Aun sin brisa ondeantes.

El momento no acaba.
Sobre su propia cima permanece,
Visible, soleado.

Yerra el son del follaje entre los ruidos:
Tren ensordecedor, raptor en rachas,
Roncos deslizamientos —o silbantes—
De la Velocidad
En su perpetuo coche,
Ya siempre arrebatado por la ruta

Sin meta.

Así, bajo los ruidos se acomoda
Nuestro sosiego nunca silencioso,
En la orilla de todas las corrientes.

Muy cerca pasa todo,
Todo nos pone sitio a esta ventura:
Amor
A través de tanteos muy difíciles,
Por fin
Eminencia clarísima del tiempo,
En andas
De su afán, de su empuje.

¿Llantos habrá fatales,
Humilde la tarima,
A nuestros pies la nada?

Es la misma tarima que sostiene
Como si fuera mármol
El peso de este amor
Siempre tendido a un goce
De incesante retorno,
Final ajuste fatalmente exacto,
Fatalmente en su punto de prodigio.

¿Amor jamás perfecto?
En creación amor, si cotidiano,

Renaciente de toda realidad:
Lunes, martes, etcétera.
¡Preciosísimo etcétera discorde,
También apoyo y realidad continua,
Suelo por donde voy,
Santo suelo de tierra!

Amor, amor aquí,
Pesando
Con su volumen grave,
Ya forma de ventura.

¿Se ve nuestra ventura? Con nosotros
Está,
Viva como esa flor sobre aquel agua,
Viva como la hoja
Que en el alto ramaje se platea,
Oscuro el resto alrededor del tronco
Sombrío.

También aquel arbusto
Se complace en las horas y susurra
—Aunque la brisa apenas se insinúe—
Entre aquellos rumores:
Borrascas por carriles,
Otra vez el desliz
Fugaz,
Tintineos, crujidos
Sobre un fondo asordado que trasforma

Su tropel de murmullos
En una discreción de compañía.

Aquí mismo al acecho
Puede crecer el cardo.
Una arena de duna,
O —peor— de un desmonte sin campiña,
Puede yacer ahí,
Siempre ignota quizá
Bajo un sosiego tan favorecido,
A la luz o en la sombra
De la tarde, que tiembla hacia el arbusto
Con un aura batiente de trajín
Y tránsito.

¿Quién, pues, entre nosotros
Niveló este sosiego
Como una superficie que se palpa?
¿Tu voluntad, mi voluntad, adrede?
¿O el Amor ya creado, con sus fuerzas
Ante nosotros vivo,
Sin cesar resurgiendo
De más profundidad
Activa?

La tarde en su entereza: su ventura.
Y dentro de la tarde,
¿Nosotros?
Tú nos creas, Amor, tú, tú nos quieres.

ESTACIÓN DEL NORTE

Pero la brutal baraúnda,
Esa muchedumbre que inunda
Nuestra común desolación...
Pero un andén se nos ofrece.
No creo en el número trece.
¡Potencia viva de estación!

Muchos viajamos. ¡Gran turismo!
Lejos no está ningún abismo.
—¿Cuál prefiere? —¿Yo? No, señor.
No quisiera más que una zona
Sin prohibición de persona
Ni obligaciones de temblor.

Esa angustia de una tiniebla
Que sólo de objetos se puebla...
Hombres han sido y todavía
Lo son porque sufren —de modo
Correcto a veces— bajo el lodo
Que enmascara aquella agonía.

¿Tan turbia es nuestra incertidumbre
Que ni un rayo habrá que la alumbre?
El mundo se inclina a su muerte.

Hasta el silencio está roído
Por algún fantasma de ruido
Que en sordo abuso lo convierte.

¿Se empeña la Historia que diga
Toda voz a la dulce amiga
Que para salvar amenaza:
Quítame el peso de ser libre,
Déjame que sólo ya vibre
Con ilusión bajo tu maza?

Loquea en público el obseso,
Huyen bajo un odio confeso
Moribundos por los caminos.
Resplandecen los uniformes,
Crimen por ley, todos conformes,
Los aparatos son divinos.

Máquinas, máquinas... Y un humo
General: así me consumo.
¿Todo morirá en mala bruma?
No, no, no. Vencerá la Tierra,
Que en firmamento nos encierra:
Ya al magno equilibrio nos suma.

TARDE MAYOR

Libre nací y en libertad me fundo.
CERVANTES

Tostada cima de una madurez,
Esplendiendo la tarde con su espíritu
Visible nos envuelve en mocedad.

Así te yergues tú, para mis ojos
Forma en sosiego de ese resplandor,
Trasluz seguro de la luz versátil.

Si aquellas nubes tiemblan a merced,
Un día, de un estrépito enemigo,
Mescolanza de súbito voraz,

Oscurecidos y desordenados
Penaremos también. Y no habrá alud
Que nos alcance en la ternura nuestra.

Esos árboles próceres se ahincan
Dedicando sus troncos al cenit,
A un cielo sin crepúsculos de crimen.

Si tal fronda perece fulminada,
Rumoroso otra vez igual verdor
Se alzará en el olvido del tirano.

Y pasará el camión de los feroces.
Castaños sin Historia arrojarán
Su florecilla al suelo —blanquecino.

Un ámbito de tarde en perfección
Tan desarmada humildemente opone,
Por fin venciendo, su fragilidad

A ese desbarajuste sólo humano
Que a golpes lucha contra el mismo azul
Impasible, feroz también, profundo.

Fugaz la Historia, vano el destructor.
Resplandece la tarde. Yo contigo.
Eterna al sol la brisa juvenil.

HE AQUÍ LA PERSONA

He aquí la persona:
De una pieza.
Íntegra un alma entona
Su cabeza.

Ardió en los ojos brío
Dulcemente.
Nariz con señorío,
Voz valiente.

Y su ardor violento
Quiso, pudo
Siempre acatar agudo
Pensamiento.

¡Qué pasión en lo humilde
Cotidiano,
Qué primores de mano
Por la tilde!

Melancólicamente
—Dios o nada—
Más pedía a la gente
La mirada.

Voluntad incesante
Contra infierno,
Todas las horas ante
Cielo eterno.

"¿El vivir sin cadena
Ya es delito?
La libertad ajena
Necesito."

Y siempre dando, noble,
Se exigía:
"Que nada en sombra fría
Se desdoble."

No fué posible para
Su sosiego
Negar la luz de fuego
Que alumbrara.

Madre en toda su ayuda,
Ya no era
Sino la que no muda:
Verdadera.

¡Esfuerzo puro! Nada
Lo pregona.
He ahí, consumada,
La persona.

EL INFANTE

I

¿Qué es ese alrededor desconocido
Para esta novedad de criatura?
Sin noción, sin vocablo va el sentido
Sintiéndose en un ser que existe y dura.

Perdurar: concentrarse como un nudo
Cada vez más liado a esa maraña
Que está infundiendo al tan recién desnudo
Su fe en la realidad que le era extraña.

Esta incipiente forma de alegría
Material es ya fe, la fe ya alerta,
Iluminada por lo que todavía
Fulge arcano en la tierra descubierta.

Ignorante, sumiso, tan pequeño,
Dependiente de todo lo que ignora,
Se rinde a todo sin temor ni ceño
Susurrando en su ínsula sonora.

Es el infante. No, no necesita
Vocablos, los vocablos de después,
Para expresar ahora su infinita
Beatitud. Hay gloria en ser. Él es.

Queriendo permanece el fiel aplomo:
Vigor acumulado de raíz,
Cuna en paz, en origen puro como
Si la imantara un término feliz.

Se confía el infante. Ya está dentro,
Profundamente dentro de un amparo
Que se le impone y le trasforma en centro
De inmensidad cerrada por un aro.

Centro de cumbre: cuna. Mimbre, seda
Guardan con precisión al desvalido
—Que no lo fué jamás. El mundo rueda
Suavizándole aún color y ruido.

Es acaso pueril aquella nube
Que al azar abandona su recreo.
Hacia esa altura este minuto sube.
¡Tanto se desenvuelve su deseo!

La luz aquí se dora sin cautela:
Tarde a sus amarillos entregada,
Férvidos. ¿Para quién? Un rayo vela,
Visible eternidad de la jornada.

¡Infante! La batista —sobre el mimbre,
Del matiz de la tarde— relaciona
Tanta acunada suerte con la urdimbre
De los cielos, redor de la persona.

II

Persona y luz: un alma nunca ciega,
Realísima ante todos, evidente,
Con sus indecisiones se despliega
Resplandeciendo sobre su presente.

A tientas el candor y soberano,
Él es quien forma y rige este paisaje
De expectación en fondo de verano
Para que le sonría y le agasaje.

Un sonreír entrecruzado enlaza
Sendas y sendas en aquel islote
De solícitos círculos. No hay plaza
Donde mejor el hondo arranque brote.

¡Solicitud en ruedo de sonrisa
Que circula, retorna y se condensa
Como si fuese una señal incisa
Con su mensaje en la atención intensa!

No hay ser de un sonreír más numeroso,
No hay sonreír más esencial a un ser.
Por sus ondulaciones de reposo
Centellea un constante esclarecer.

El cuerpo todo participa, goza
De esta iluminación. El alma es nueva,
Nada sabe de fárrago ni broza.
A dudar de esta luz ¿hay quien se atreva?

Luz de carne, sonrisa corporal,
Suavísimos chispazos de una gracia
Con fuerza de misterio sin final:
Vivir que sólo en más vivir se sacia.

Desde siempre hubo acorde entre ese infante,
Forma justa del ánimo risueño,
Y el frescor trasparente de levante
Destinado al más puro que su sueño.

Ese tranquilo respirar no para
De exigir imperiosamente el pacto
Con el día y su atmósfera más clara,
Envoltura ideal de lo compacto.

El infante está ahí queriendo día
Con sus ojos azules, con la tez
Que lo más vivo a lo rosado alía,
Con la hermosura de su desnudez.

Mundo, más mundo quiere con lo esbelto
De sus pestañas, sombra a veces seria,
Con lo rollizo de su puño vuelto
Ya a una presión que pide una materia.

¡Materia capital! No la discierne
La mano. ¿Superficie? No es sencilla.
Universo confuso apunta en cierne
Tal atracción que todo se le humilla.

Sin poder, sin saber, pero no a ciegas,
La criatura se dirige a eso:
El enigma inmediato. —¿Ya le niegas
Las claves? Sin eclipse el embeleso.

¡Manos tendidas! Y la boca aguda
Quiere satisfacer sus avideces.
Todo contacto en goce se trasmuda.
¡Oh boca humana, cómo te enardeces!

Hay una tentativa de ademán,
Y de pronto en el ceño, que rechaza,
Irresistibles ímpetus están
Esbozando un preludio de amenaza.

El coraje impaciente va hasta el lloro.
¿Qué fué de aquel gorjeo prodigado?
Persiste en armonía con el coro
Solar ese desorden —sin pecado.

Inquietud, manoteo. Brazos, piernas
Anuncian la fruición del caminante.
Una mirada multiplica tiernas
Insinuaciones. ¡Que una voz le cante!

Triunfa en paz un origen. ¿Habrá estreno
De más seguro tino? Con delicia
De certidumbre se presiente el pleno
Contorno de la gracia que se inicia.

Gracia animal —o suma elemental
De todos los aciertos más humanos.
Equilibrio tan justo excluye el Mal.
Es mucha la alegría entre las manos.

¿Frágil será el primor? Este volumen
Grosezuelo de brazos y rodillas,
Este decoro de la sien presumen
La gran corriente desde sus orillas,

Una oleada que meciendo impera,
General y fatal, arrulladora,
Con una pulsación que es una espera
Sin cesar anhelante de otra aurora.

Así la inmensidad materna tiende,
Brinda al verano la esperanza pura,
Acorde con el sol y siempre allende:
Sin linde el mundo de la criatura.

III

Minúsculo resalta el centelleo
Sobre la multitud del mar en lucha.
Lucha dichosa. ¿Bella? Nada es feo
Para quien con amor mirando escucha.

Montones de oleaje entre chasquidos,
Al agitar sus bálagos de ira,
Se desmoronan —más estremecidos
En el postrer susurro que suspira.

¡Cuánta afluencia en la armonía breve,
Ese tul, esa piel, esta palabra,
Cuánto concurso de universo debe
Fluir por toda flor que al fin se abra!

Se precipitan hacia su destino
Tumultos de un alud que arrolla y crea.
He aquí un desenlace. Sobrevino,
Carnal, este fervor que exige idea.

Sobrevino esta chispa vehemente,
Se encendió la esperanza entre unos huesos,
Al sol llamó la comba de la frente,
El cielo dió sus cúmulos ilesos.

Desde esta sangre al sol hay una dicha
Directa. Se responden ese espacio
—Con tesoros de fábula no dicha—
Y este ser a más ser jamás reacio.

¡Qué explosión diferida de ilusiones
Aguarda en el asalto apetecido,
En ese rebullir de tantos dones
A través del esfuerzo y del quejido!

Todo queda en su cima de ignorante
Bienestar. El reposo luce. Queda
Patente sin vocablos el infante
Sobre la altura de batista y seda.

El infante no dice más que vida,
Vida entrañablemente fabulosa,
Con su fábula sólo tan fundida
Que nada es tan real como la rosa.

Es necesario que la luz alumbre
Valles y montes dignos de este puro
Favor de la existencia, ya vislumbre
Sutil en su frescura de futuro.

Sigue la Creación creando. Calma
De infante: lo divino en sí confía.
Ese dorado de la piel es alma.
¡Universal infante de alegría!

MÁS VIDA

I

¿Por qué tú, por qué yo bajo el cielo admirable?
¿Por qué azar, por qué turno
De favor, por qué enlace
De laberinto, por qué gracia
De viaje
Prorrumpimos a ser, acertamos a estar
En el instante
Que se arrojaba hacia la maravilla?

Sí, salve.

II

Hijo, resplandor
De mi júbilo
Como el verso posible
Que busco.

Gracias a ti, figura de mi amor bajo el sol,
Restituído
Todo a esa luz y con alma visible a ti acudo,
Límpido.

En su interior el alma profundiza
Sin oscurecimiento.
Heme aquí de mi noche liberado,
Neto.

Hijo, ya impulso hacia la luz
Desde mi gozo:
Hay luz universal
Para tus ojos.

III

¡Cuántos siglos ahora sosteniéndote,
Y con su esfuerzo
Latentes, montañosos,
A tus pies emergiendo
Para levantar un futuro
Todavía tan leve y tan inquieto
Que apenas
Se insinúa en el aire de tu pecho!

IV

La mirada mía verá
Con tus ojos
El mejor universo:
El de tu asombro.

A través de tus horas, sin descanso
Más allá de la muerte,
Hasta el año 2000 he de llegar
Calladamente.

Hijo tan asombrado, tan interior al círculo
Del enigma:
La Creación en creación
Es quien te sitia.

V

Hacia su plenitud
Mi mejor pensamiento,
Frente a mí se me planta,
Carne y hueso.
Eres.
        Y no soy libre.
¡Qué dulce así, ya prisionero
De mi vida más mía,
Ser responsable de tu aliento!
Tu realidad no deja escapatoria.
Eres mi término,
El término fatal de mi ternura.
¡Qué gozo en este apego
Sin ninguna razón,
En este celo

Tan obstinado tras la pequeñez!
Profundo amor pequeño
Me fuerza
—Dentro de un orbe que es un cerco—
A gravitar, y así con mi vivir
Gravito, quiero,
Astro dichoso.
¡Oh dicha: preso!
Preso.
¿Quién eres, quién serás?
Existes. Eres. En tu mundo quedo.

VI

Hasta las raíces de mi orgullo profundiza,
Me cala,
Alto y ligero sobre el orgullo levantándome,
Tu gracia.

A tu gracia me rindo
Con mi poder.
Nada se puede contra el ángel.
El ángel es.

Entre las cosas y los sueños
Avanzas
Tan soñado, tan real que me descubro
Más cerca el alma.

VII

Y tú,
Ya con el viento.
¡Qué desgarrón de claridad
En el silencio,
Cuánto espacio de luz esperanzada
En ese acecho
Que es el aire por Junio,
A la gracia dispuesto!
Y tú,
Ya con el viento.

VIII

Hijo, vislumbre
De gloria:
Cielos redondos ceñirán
Tus obras.

Cima apuntada hacia el azul escueto,
Sin celaje:
El amor mismo te dará
Sus valles.

No soy mi fin, no soy final
De vida.
Pase la corriente. No es tuya
Ni mía.

Hijo, centella
De un fuego:
En el gran fuego inextinguible
Quemémonos.

IX

Ardiendo pasa la corriente. ¡Salve!
Fuegos de creación
Siempre en nosotros, con nosotros arden.

¿Llamas ocultas, de repente en alto,
Brincan, embisten, ágiles?

Errores con dolores,
Desastres.
¡Ay, luchas de Caín!

Y todo se deshace y se rehace.
¿Llamas y brasas?
Es el mundo invasor y de veras creándose,
Un mundo inmenso
De verdades,
Una inmensa verdad
De sangre.

Hijo:
Tu mundo, tu tesoro.

VIDA EXTREMA

I

Hay mucha luz. La tarde está suspensa
Del hombre y su posible compañía.
Muy claro el transeúnte siente, piensa
Cómo a su amor la tarde se confía.

...Y pasa un hombre más. A solas nunca,
Atentamente mira, va despacio.
No ha de quedar aquella tarde trunca.
Para el atento erige su palacio.

¿Todo visto? La tarde aún regala
Su variación: inmensidad de gota.
Tiembla siempre otro fondo en esa cala
Que el buzo más diario nunca agota.

¡Inextinguible vida! Y el atento
Sin cesar adentrándose quisiera,
Mientras le envuelve tanto movimiento,
Consumar bien su tarde verdadera.

¡Ay! Tiempo henchido de presente pasa,
Quedará atrás. La calle es fugitiva
Como el tiempo: futura tabla rasa.
¿Irá pasando todo a la deriva?

II

Humilde el transeúnte. Le rodea
La actualidad, humilde en su acomodo.
¡Cuántas verdades! Sea la tarea.
Si del todo vivir, decir del todo.

Una metamorfosis necesita
Lo tan vivido pero no acabado,
Que está exigiendo la suprema cita:
Encarnación en su perenne estado.

¡Sea el decir! No es sólo el pensamiento
Quien no se aviene a errar como un esbozo.
Quiere ser más el ser que bajo el viento
De una tarde apuró su pena o gozo.

¿Terminó aquella acción? No está completa.
Pensada y contemplada fué. No basta.
Más ímpetu en la acción se da y concreta:
Forma de plenitud precisa y casta.

Forma como una fuerza en su apogeo,
En el fulgor de su dominio justo.
El final es —ni hermoso ya ni feo.
Por sí se cumple, más allá del gusto.

¡Atraído el vigía! Ved: se expresa.
¿Cómo no ha de encontrar aquella altura
Donde se yergue un alma en carne presa
Cuando el afán entero al sol madura?

Ámbito de meseta. La palabra
Difunde su virtud reveladora.
Clave no habrá mejor que hasta nos abra
La oscuridad que ni su dueño explora.

Disputas, vocerío con descaro,
Muchedumbre arrojada por la esquina.
Lo oscuro se dirige hacia lo claro.
¿Quién tu sentido, Globo, te adivina?

Revelación de la palabra: cante,
Remóntese, defina su concierto,
Palpite lo más hondo en lo sonante,
Su esencia alumbre lo ya nunca muerto.

Más vida imponga así la vida viva
Para siempre, vivaz hasta su extrema
Concentración, incorruptible arriba
Donde un coro entre lumbres no se quema.

Llegó a su fin el ciclo de aquel hecho,
Que en sus correspondencias se depura,
Despejadas y limpias a despecho
De sus colores, juntos en blancura.

¡Alma fuera del alma! Fuera, libre
De su neblina está como una cosa
Que tiende un espesor en su calibre
Material: con la mano se desposa.

¡Trascendido el sentir! Es un objeto.
Sin perder su candor, ante la vista
Pública permanece, todo prieto
De un destino visible por su arista.

El orbe a su misterio no domeña.
Allí está inexpugnable y fabuloso,
Pero allí resplandece. ¡Cuánta seña
De rayo nos envía a nuestro foso!

El tiempo fugitivo no se escapa.
Se colmó una conducta. Paz: es obra.
El mar aquel, no un plano azul de mapa,
¡Cuánto oleaje en nuestra voz recobra!

Y es otro mar, es otra espuma nueva
Con un temblor ahora descubierto
Que arrebata al espíritu y le lleva
Por alta mar sin rumbo a fácil puerto.

Y la voz va inventando sus verdades,
Última realidad. ¿No hay parecido
De rasgos? Oh prudente: no te enfades
Si no asiste al desnudo su vestido.

Palmaria así, la hora se serena
Sin negar su ilusión o su amargura.
Ya no corre la sangre por la vena,
Pero el pulso en compás se trasfigura.

Ritmo de aliento, ritmo de vocablo,
Tan hondo es el poder que asciende y canta.
—Porque de veras soy, de veras hablo:
El aire se armoniza en mi garganta.

¡Oh corazón ya música de idioma,
Oh mente iluminada que conduce
La primavera misma con su aroma
Virgen a su central cenit de cruce!

La brisa del follaje suena a espuma:
Rumor estremecido en movimiento
De oscilación por ondas. ¡Cuánta suma
Real aguarda el paso del atento!

La materia es ya magia sustantiva.
Inefable el secreto —con su estilo.
¿Lo tan informe duele? Sobreviva
Su fondo y sin dolor. ¡Palabra en vilo!

¡Palabra que se cierne a salvo y flota,
Por el aire palabra con volumen
Donde resurge, siempre albor, su nota
Mientras los años en su azar se sumen!

Todo hacia la palabra se condensa.
¡Cuánta energía fluye por tan leve
Cuerpo! Postrer acción, postrer defensa
De este existir que a persistir se atreve.

Aquellas siestas cálidas de estío
Lo son con sus fervores más intensos.
Se acumula más frío en ese frío
De canción que en los tácitos inviernos.

No finge la hermosura: multiplica
Nuestro caudal. No es un ornato el mundo
De nuestra sed: un vino está en barrica.
¿Es más de veras el brebaje inmundo?

Poesía forzosa. De repente,
Aquella realidad entonces santa,
A través de la tarde trasparente,
Nos desnuda su esencia. ¿Quién no canta?

He aquí. Late un ritmo. Se le escucha.
Ese comienzo en soledad pequeña
Ni quiere soledad ni aspira a lucha.
¡Ah! Con una atención probable sueña.

Atención nada más de buen amigo.
Nació ya, nacerá. ¡Infiel, la gloria!
Mejor el buen silencio que consigo
Resguarda los minutos sin historia.

Minutos en un tren, por alamedas,
Entre doctores no, sin duda en casa.
Allí, lector, donde entregarte puedas
A ese dios que a tu ánimo acompasa.

Entonces crearás otro universo
—Como si tú le hubieras concebido—
Gracias a quien estuvo tan inmerso
Dentro de su quehacer más atrevido.

¿El hombre es ya su nombre? Que la obra
—Ella— se ahinque y dure todavía
Creciendo entre virajes de zozobra.
¡Con tanta luna en tránsito se alía!

Eso pide el gran Sí: tesón paciente
Que no se rinda nunca al No más serio.
Huelga la vanidad. Correctamente,
El atentado contra el cementerio.

—Se salvará mi luz en mi futuro.
Y si a nadie la muerte le perdona,
Mis términos me valgan de conjuro.
No morirá del todo la persona.

En la palpitación, en el acento
De esa cadencia para siempre dicha
Quedará sin morir mi terco intento
De siempre ser. Allí estará mi dicha.

III

Sí, perdure el destello soberano
A cuya hervor la tarde fué más ancha.
Refulja siempre el haz de aquel verano.
Hubo un testigo del azul sin mancha.

El testigo va ahora bajo el cielo
Como si su hermosura le apuntase
—Con una irradiación que es ya un consuelo—
El inicial tesoro de una frase.

Colaborando la ciudad atiza
Todos sus fuegos y alza más ardores
Sobre el gris blanquecino de ceniza.
Chispean deslumbrados miradores.

Cal de pared. El día está pendiente
De una suerte que exalte su carrera.
¡Algo más, algo más! Y se presiente
Con mucha fe: será lo que no era.

Impulso hacia un final, ya pulso pleno,
Se muda en creación que nos confía
Su inagotable atmósfera de estreno.
¡Gracia de vida extrema, poesía!

TU REALIDAD

I

Si alguna sombra oscila
Con su pena,
Tu realidad tranquila
Me serena.

Mármol, no. Sí del arte
Más dichoso,
Figura que reparte
Su reposo.

La tarde sobre arena
Se nos dora.
El alma al cuerpo llena
Bien ahora.

Justa para mi anhelo
Te diviso,
Horizonte en el cielo
Más preciso.

Con fragancia tranquila
Me serenas.
Signo de paz se afila
Por tus venas.

II

Te me revelas tanto
Que me guía
La verdad al encanto,
Y eres mía.

Te quiero como el alba
Quiere al ave,
Como abeja a la malva
Más süave.

Amor no es intermedio.
Todavía
Se arrastra como asedio
Largo el día.

Puente seré en la fiesta
De tu río,
Fronda seré en la siesta
De tu estío.

De nadie es nada como
Tú eres mía.
A más verdad me asomo:
Poesía.

TIEMPO AL TIEMPO
o
EL JARDÍN

Todo el jardín se ofrece a la mirada.
Desde el palacio oteo y le domino,
Señor casual que reina: tanto admira.

Si dones fluyen de naturaleza,
Sólo el declive de este valle arrostra
Sin cambio tal rigor: más hermosura.

Entre unos bojes, tentación del tacto,
Dos fuentes mitológicas dirigen
El jardín y mi alma, que se entienden.

Y la vista se esparce por las copas
Tan extremadas de las alamedas,
Dóciles al rumor y al pensamiento.

Abajo, siempre el agua del estanque
Nos reserva unos cielos que aproximan
En aquel interior sus aventuras.

Pasan murmullos de las hojas. Pasan
Como las luces de las estaciones
Por el instante —donde permanezco.

Es él quien me levanta y me respeta
Sobre su cima, sobre los tangibles
Siglos aquí salvados, tan presentes.

Entre la flor, puntual en su retorno,
Y el raso césped sin cesar creciendo,
Lo que fué se recoge, más amigo.

En esta juventud de una corriente
Se acumula, se funde y me preside
La sucesión perpetua del instante.

Aquí los años son compás a tiempo.
Fuente es divinidad: sin fin el agua.
Late un sol más profundo en la alameda.

FAMILIA

Para Steve

Persistiendo está el gran Aparte
Con su atmósfera de aventura.
A unos pocos reúne el arte
De la diaria vida oscura.

No hay puertas. Por la habitación
Franca de continuo transita
La intimidad de varios. Son
Los habitantes de una cita.

¿Lugar de costumbre o sorpresa?
Ámbito de tanto secreto,
De tanto interior que no cesa
Nunca de aparecer discreto.

¡Interior! Y todo se aloja
Retraído a cierta manera.
Es íntima ya hasta esa hoja
Visible en el aire de fuera.

Y no es nada... Neutras paredes
Que nadie sabe cómo son.
¿Entre cuatro, vida, concedes
Tanto infinito al corazón?

Amor, un ocio que es trabajo,
Poesía, la criatura.
¿Quién más minero más extrajo
De la existencia que perdura?

Aquí está la tan femenina
Varïando tan ágil hacia
La rosa imposible que atina
Con la duración de la gracia.

La gracia anterior, en su punto
Más firme de temple, refrena
Para el sostenido conjunto
Sus contradicciones de pena.

Solemne en silencio el piano
Daría decoro a la sala
Si no se lanzase una mano
Sola a resucitar la escala.

¿Y el creador de este concierto?
Esperando escucha. ¡No ignora
Que todo queda al descubierto
Frente a la ciudad invasora!

He ahí persistiendo el grupo
Que tan sólo Amor arracima.
Es Amor quien de veras supo.
Él sabrá llegar a su cima.

MÁS ESPLENDOR

El calor ya:
Una temperatura de confianza en labios.
Presentimiento de calor hermoso
Promete espacios, lejanías claras,
Profundidad,
Profundidad que espera,
Profundidades con ternura.
Por ese resplandor
Una ternura flota disponible.

¡Aquí,
Tú misma!
Conmigo tú,
Profunda en el espacio soleado
Que te sostiene,
Cumbre de esperanza cumplida,
De inmediato secreto
Maravilloso.

Se asoma luz tangible al horizonte.
¡Cuántos valles detrás y cuántos aires
En torno de tu cuerpo,
Campo también, país y suma cándida!
Tú eres el día,

La ternura del día dominado,
La claridad en coto,
La poseída claridad
Bajo una profusión de sol difuso.
¡Y qué frescura de lejanía por tu cuerpo,
Claro cuerpo feliz
Como paisaje!
Tú misma, tú, callada y revelada,
Toda ofrecida a claridad en acto,
Máxima, férvida.

¡Oh continua, profunda suavidad de silencio!
La sangre corre.
¡Pleno vivir henchido de presente aceptado!
Todo es ahora.

Un asomo de vello apenas rubio.
Y se dora la piel como una fruta
Que se hiciese animal en nuestras manos,
El plumaje aun más tibio de sorpresa.
Nuca augural,
Hombros, rodillas, trabazones.
La exactitud es más ardiente.
¡Qué minucioso lujo de invención,
Cuánto oriente de pronto amaneciendo,
Rubio casi rosado
Con indicio de vena alboreada!

Y el país otra vez,

Cumbre, declive, curva en curso terso.
¿La pérdida en la carne inacabable?
Espaldas —y se olvidan.
¡Cuánta hermosura infiel a mi recuerdo,
Hermosura en aurora
Que no se aprende!

Ya se ciega el saber.
Enmudecen los gozos.
¡Gozos tendidos, gozos implorantes
Que tanto necesitan de su causa!
Labios y labios, labios
Con su querer, su gracia a solas,
Y para mí de pronto
Labios, tus labios,
Reales otra vez, soñados siempre:
Tan de veras lo son.

El alma se desliza por su cauce
Con gozo de caudal.
A través de este gozo, el mundo se despoja
De su desorden.

Quiero quererte,
Realidad de las Realidades.
¡Ah, vivir trasformado todo en rumbo!

Me conduce el más dulce tesón inquisitivo.
Amor de tantos días se reconcentra ahora,

Todo actual, en un ímpetu, prórroga de relámpago.
¡Volver, siempre volver, querencia eterna!
Furia de fe nos lanza a vida y vida,
Más y más vida, sin temor de muerte.

¡Ah, ser eterno ya,
Sin dilación,
Todo en raíz
Trascender el impulso!

La armonía se cumple,
Total,
Deleite convertido en su ternura.
Gracias a ti yo existo, plenamente yo existo,
Gracias a ti, realísima,
En este instante que se cierra
Perfecto y para siempre.

¡Ser, ser,
Tesoro todo,
Extremo de sí mismo en esperanza,
Amor!
Y mientras, anhelar,
Anhelar con anhelo humilde
La gloria que se cumple,
Que sí se cumple ya absoluta,
Sin engaño absoluta para siempre:
La realidad en acto,
Angustiosa, gozosa, perfectísima.

MECÂNICA CELESTE

EL CAMPO, LA CIUDAD, EL CIELO

Río en ciudad. ¡Qué grande!
Por sus aguas aun verdes
Llega el campo de antes.

Plátanos de avenidas
En avidez presienten
Un aire sin esquinas.

¿Conquistan las estatuas
Incansables, por fin,
El cielo de las plazas?

Río otra vez. Y parte
Con su campo. No acoge
La avidez de las calles.

Pero no importa. ¡Gracias,
Gracias, estatuas! Ya
Va el cielo entre las casas.

TRASLACIÓN

La luz quiere más luz,
Más cristal, más nivel,
Formas de prontitud,

Abandonar las dichas
A los suelos veloces
De las calles tan lisas,

(Ahinco de las piedras
Correctas entre nervios
Que las mantienen tensas)

Y resbalar por pistas
Indefinidamente
Portadoras y guías.

¡Ciudad en traslación
Hacia una claridad
De estrella sin error!

NOCHE CÉNTRICA

Sobre suelos de estrella,
Con ardor fabulosas,
Noche y ciudad rielan.

En el asfalto fondos
De joyerías cándidas
Se aparecen a todos.

Letras de luz pronuncian,
Silabario del vértigo,
Palabrerías bruscas.

Las calles resplandecen.
Son óperas de incógnito.
Quisieran ser terrestres.

¡Óperas, sí, divinas,
Que se abren por las noches
En las estrellas vivas!

LAS CUATRO CALLES

Se anudan cuatro calles:
Culminación hacia un vivir más fuerte.
¡Nunca, ciudad, acalles
Su inquietud! Es tu centro
De suerte.
¡Oh lucha en el bullicio,
Que precipita dentro
De tanta confusión tanto servicio
Sonriente: mirada
Que al pasar ya es entrada
Graciosa hacia una vida,
Frase tal vez oída
Por aquel transeúnte que disfruta,
Risueño,
De aquella diminuta
Variación del espíritu sin dueño,
Tornasol de un encanto
Que es aire! No hay batuta
Que dirija esta orquesta
Desordenada. ¡Cuánto
Murmullo ahora presta
Bastante fondo al grito,
Que no se pierde suelto!
Orbe en su batahola pero nunca maldito,

A gusto en este ambiente
Por un final de buena tarde envuelto,
Que ilumina su caos con dorados
Grises entre dos luces. El poniente
No dice un grave adiós sobre arreboles.
El sol, tras los tejados,
—Visible frente a frente
Como luna amarilla—
Concluye en polvareda
De soles.
Una capota de carruaje brilla
Con suavidad de seda,
Y el más terso dominio límpidamente rueda.
¡Oh triunfo! Sin embargo...
La atmósfera comparte su dulzura con todos.
¿Por qué en algunos hombres tanto silencio amargo
Que delata el semblante?
La paz es ya tangible. No hay cómplices recodos
Hacia la disidencia. ¡Paz triunfal y adelante!
Coches, más coches con deslizamiento
Que somete a sordina
Su victorioso acento.
Ahora se impacienta una bocina:
Toda su voz insiste.
¿Se ha roto el equilibrio en un segundo?
Bajo la tarde, triste
Quizá por dentro, ¿cómo será el mundo?
Mundo en esencia late, fabuloso,
Mientras ¡ay! la ciudad

Y sus torres mantienen contra el tiempo su acoso.
Palpita una verdad
Entre accidentes, ruidos
Y males,
Peleas y dineros.
Hasta los arreboles van heridos
Por terribles caudales
De números con ceros,
Los ceros de esos hombres.
¡Ésos! Por estas calles transitan y sus nombres
No ocultan. Vedlos. ¡No, ningún sonrojo!
Alguien arriba, desde su ventana,
Ve derretirse un horizonte rojo.
¿Realidad suntuosa? Cotidiana
Como esa realidad que va pasando a pie,
En vías de ser suelo para aquella veleta.
Destino: cae el sol. Una campana
Profundiza, completa
La fe
De algunos en la tarde sobrehumana.
Se extiende por las nubes una veta
De grana,
Que también a la calle favorece. Balcones
Hay felices sabiendo de ese ocio
Flotante. Para todos se platea
Su dorado esplendor con variaciones
Más grises cada vez. Hasta el negocio
Da en los escaparates relieve de presea
Ya mágica a su exceso.

¡Oh posibles caprichos
Frente a la luz final de un embeleso!
Ídolos en sus nichos
Esperan un espacio
Más libre.
¡Que inocente en cristales de palacio
Con más ardor aún el crepúsculo vibre!
Ya esa mano entrevista realza su topacio:
Topacio con influjo en la belleza
Tan difusa que entona
Traje, velo, persona.
¡Ay! Varonil, tras ella irá un suspiro
Con su noche. La noche amante empieza
De soslayo a dar giro
De intimidad cuchicheada al fondo,
Más denso
De espera sostenida.
Sin duda viene orondo
Con su jinete algún caballo de fino pienso,
Relajada la brida.
...Y la noche está ahí —bajo el inmenso
Futuro, de temblor tan inmediato.
Apasionadamente va la vida,
Aunque retenga aquí su profundo arrebato
Perpetuo. ¡Calles en el quid del cruce!
Vaga por la ciudad una zozobra
De luz que estremecida sobre lo oscuro luce.
Escuchad al tal vez clarividente gato
Que en un balcón recobra,

Clamante, ya muy lejos, su soledad de fiera.
Pero ese transeúnte, sin ningún otro al lado,
En orden por su acera,
¿Dolorido no va
También, más acosado
Quizá?
Orden. ¡En orden! Bandas, rutilantes metales.
Por entre los orgullos callejeros
Se adivinan latentes los redobles marciales.
¡Aceros!
Hay tanta brillantez que es ya siniestra.
Ni la brisa lo ignora...
Ante todos se muestra
La Oquedad ¡ay, rectora!
Nada al fin. Y en el pecho,
Una angustia común
A todos, reunidos a orillas de la nada.
Este mundo del hombre está mal hecho.
¿Azar al buen tuntún,
Error
Sutil que en más desorden se degrada?
Dura en las cuatro calles un rumor
Tenaz que persistiendo, convincente,
Resiste.
Bajo tanto accidente
Discorde, torvo, triste,
Continúa el rumor sonando bajo el cielo,
Tiranía también, y admirable: no miente.
¡Vivo soplo inmortal, feroz anhelo!

RACIMO

I

Hermosura del agua presentada:
Agua en cristal,
El agua presentada por el supremo afín.
Ornato, no. Cristal —y el agua.

II

Rojizo violeta, azulándose aún,
Va en busca de amaranto.
En el agua interiores, esas uvas —felices,
Remotas ya,
Felices alejándose—
Gravitan, se ensimisman, submarinas.

Rojizo violeta...

¡Oh país submarino!
Coral del estupor, extrema flora
De una felicidad y retirándose,
De pronto insostenible, vespertina.
Y espesor de silencio.
Compartido por peces incansables.

Rojizo violeta, azulándose aún,
Va en busca de amaranto.

¡Amaranto! Redondos paraísos
Herméticos,
Siempre ahogándose un poco,
Submarinos, sobrecelestes,
En horas demasiado vespertinas,
Demasiado süaves con orlas y murmullos.

Rojizo violeta
Va en busca...

¡No, no!
No tanto paraíso para un ser no sagrado.
El amaranto, no.

¡Aire de mar a tierra!

III

En la mano el racimo generoso
Responde,
Tiernamente hacia mí se redondea,
Denso de un zumo que ya aguarda.
¡Practicable armonía,
Óptimo otoño!

A LA INTEMPERIE

Noche mortal, noche de miedo.
Hasta el soñador más dormido
Yacía en la red de un enredo.
Sólo se libraba algún nido...

Yo caminaba sin defensa,
Oculto y expuesto a la vez
Bajo tanta noche. ¡Qué inmensa
Negación de mi pequeñez!

Iba llenándose de broncos
Augurios la tiniebla hostil,
Y se abalanzaban los troncos
Hacia los hombres sin perfil.

Una violencia difusa
No esperaba más que un silbido
Para abrir la mayor esclusa
De aquel tumulto contenido.

Entre el firmamento y el llano
La soledad ya no era mía.
¿Quién gritó? Me sentí lejano.
Era un aire sin compañía.

Calaba el miedo hasta la savia
De los juncos sin luz alguna.
Absorbía el agua con rabia
Toda aquella arena sin luna.

La arena se espesaba en lodo.
Latía posible un delito.
¡Negror azul! Desde un recodo
Me miraba un gato exquisito.

¿A más sombra huyó el animal?
Quedé en la arena con el viento.
Un caballo entonces, campal,
Irrumpió sin consentimiento.

Resonando como un aviso,
Los golpes firmes de los cascos
Se derrumbaban sobre el piso
Con gozo de alegres peñascos.

No había ningún mensajero,
Sí ya un resplandor. ¡Las estrellas!
—Dime, dime, caballo overo.
¿Qué ruta señalan tus huellas?

Presidía la luz sublime.
¡Cuánta gloria sin una falla!
—Dime, caballo overo, dime.
¿Y el jinete? ¿Dónde se halla?

¡Estrellas! Por cielo inmortal
Se acercaban, aun más hermosas
Para el temeroso del mal.
La muerte se hundía en sus fosas.

Más pura la noche, más clara,
Más alta, feliz en el frío,
Se extendía como si amara
También aquel asombro mío.

Tanto murmullo, más incierto
Por el aullido de algún can,
Se esforzaba hacia su concierto
Sin dejar de ser un afán.

La noche imponía su inmensa
Nivelación de pormenores,
Todos oscuros. ¡Qué defensa
Tan ajustada a mis temores!

La oscuridad ya no era extraña.
El mundo se ceñía al grito.
Soñaba el astro con la hazaña.
Cobijaba el mismo infinito.

PRESAGIO

Eres ya la fragancia de tu sino.
Tu vida no vivida, pura, late
Dentro de mí, tictac de ningún tiempo.

¡Qué importa que el ajeno sol no alumbre
Jamás estas figuras, sí, creadas,
Soñadas no, por nuestros dos orgullos!
                No importa. Son así más verdaderas
                Que el semblante de luces verosímiles
                En escorzos de azar y compromiso.

Toda tú convertida en tu presagio,
¡Oh, pero sin misterio! Te sostiene
La unidad invasora y absoluta.

¿Qué fué de aquella enorme, tan informe,
Pululación en negro de lo hondo,
Bajo las soledades estrelladas?
                Las estrellas insignes, las estrellas
                No miran nuestra noche sin arcanos.
                Muy tranquilo se está lo tan oscuro.

La oscura eternidad ¡oh! no es un monstruo
Celeste. Nuestras almas invisibles
Conquistan su presencia entre las cosas.

NOCHE DEL CABALLERO

QUIJOTE, I, 20

I

Todo está preparado.

Silencio bajo ruido,
Incógnita arboleda,
Brisa en oscuridad
Hacia un agua invisible,
El prado con el agua.

No hay nombre de lugar que, su tiniebla
Dominando, sitúe
La realidad allí sobrevenida.
Frondas adivinadas
Como espesuras leves
Amplían con murmullos
La conversión de su apariencia en noche.

Son álamos tal vez,
Con nervaduras sin cesar sensibles
A un aire que ya fuese
Movilidad de una mirada humana,
O un balbucir de voz en poco viento.
Bosque tiene que ser de agudo apunte,

A juzgar por aquellas tan seguidas
Escalas de rumor en ascensión
Trémulamente firme.

Lejos ya no podría estar el agua,
Tan sonora a la fuerza
Por apresuramiento de caída,
Sin embargo en un curso
De un ya majestuoso poderío
Gradual. Y se sume,
Noche abajo, muy dentro
De su postrer oscuridad más turbia,
Que así se clarifica,
Resonante a una piedra golpeada,
A ocultos escalones siempre ocultos,
A fuentes que derrochan
Un manantial perpetuo
Con sus apariciones diamantinas,
Visibles los diamantes
Por entre los reflejos que se anegan.

Sucediéndose el agua
Permanece en su canto,
Y a su compás agreste
Robusteciendo la monotonía,
Avanza, se derrumba hacia un confín
Privilegiado por lo tan incógnito
—Como su nacimiento.
¿Nacimiento en montañas,

Entre rocas de luna?

Y la corriente, grave
De tanta inclinación,
Arquea su derrumbe,
Su tumulto de choque,
Su dispersión de espuma embravecida.
¿Bullendo a toda marcha
Se revuelve el avance
Contra la piedra, contra los peldaños?
Jamás se quebrará su diamantino
Tesoro, más veloz,
Más invasor, más duro.

Y bajo las espumas,
En la masa del ímpetu
Se distingue, se impone, se establece
Con rigor de retorno suplicando,
—¿Qué será?— más profundo,
Más incógnito aún
Como un gemido en forma de amenaza,
Un estruendo mayor.
¿De dónde, para quién?
¿Huesos o hierros sufren o rechinan?
¿Es un monstruo de carne o de metal?
¿Se enfurecen las fauces de la noche?

Acecha un fondo hostil.
Interiores al término indistinto,

Al temblor circundante,
Vaivenes de negruras abalanzan
Su incógnita a la tierra.

Tierra de prado en lejanía, solo,
Tierra bajo la noche
De mucha perdición
—Si no velase ahora el ya elegido.

Todo está preparado.

II

La noche se cerró
Para guardar a quien está en su centro,
Ve las tinieblas, oye las llamadas,
Presiente los recodos
Que al adversario emboscan.
¡Hermosura, peligro!
Por entre los susurros un silencio
Muy dúctil que resiste,
Árboles hacia el agua en simpatía,
Aquellas hojas siempre en el amor
Del aire que las quiere
Mientras, inextinguible, va pasando
Próximo ya el caudal de son de luna:
Todo le exalta a él, allí surgido
Para salvar la noche y su concierto

—Que un demonio desgarra.

¿El derrumbe negruzco
Dirige su fragor al silencioso?
Es él en su caballo quien escruta
La noche al cielo unida,
Y enfrente, rota, múltiple,
Aquella soledad vociferada.
¡Cómo al oído atrajo la primera
Suma de un mundo virgen en su coro:
Este coro, también del firmamento!
Y al oído avizor
¿No le habrán de doler aquellos ayes
Que de repente irrumpen?
Contratiempo, destiempo, discordancia.
Lo atajará quien vela.

Entre los más accidentales días,
—¡Son tantos los rodeos,
Hay tanta presurosa dilación!—
Se descubre ante un hombre
La excelsitud que le descubre a él,
Firme en la encrucijada
Que le anuncia su clave.
Y tú, tú la descifras
Porque te escoge a ti con tu potencia
Que ha de irradiar en acto,
Dichoso de existir
Hasta su agotamiento.

¿No llama ese horizonte?
A todos solicita
Con sus oscuridades,
Su injusta confusión,
Su malestar a tientas, sus vestiglos.
¿Son ellos los más fuertes?
Nadie lo sabe aún.
¿Y si allí, de una vez, se revelaran
Por agresión —relámpago?
No harán titubear al más intenso.
¡Tanto invita el peligro!
Ineludible como si ella sola
Se decidiera, superior a todos,
Una aventura vibra
Ya contra los tentáculos
Que, pérfidos, retráctiles,
Ayudarán a sostener la hazaña.

Cruja y recruja por su laberinto,
Si al fin no se subleva con sus iras,
Ese intento de voz que contradice...
Serás tú quien responda.
Así, desamparado de la fama,
Desde tu noche oscura
Serás tú quien se arroje,
Quien llegue a ser en plenitud de acción
Ese tan impaciente que se obstina
Clamando y esforzándose, posible,
Hacia su realidad.

III

¡Oh potencia ya heroica:
Gran juego a vida o muerte!
Jugará el tan llamado.
Luceros favorables no le inducen
Ni musas le embriagan.
Él es quien se destina, quien se elige
Con la fatalidad de su pureza,
Con su vigor de fe.
¿Vivir, morir tal vez? Ya está velando.

Nadie pudo en el día,
En los días de luz acostumbrada
Dulcemente a ser norma,
Adorar como él,
Esperanzado siempre,
El rumbo del vivir inmarcesible:
Afán de más fragancia en el tomillo,
De relieve en el monte que la esparce,
De amplitud en el viento allí más ancho,
De persistencia en quien
Lo aspira, lo comprende.
¿No es más apto el ingenuo,
El siempre dadivoso
Para acoger impetuosamente
Los deseos del orbe

Tras esa invitación
Que aguza todo ser desde su espera,
Forma ofrecida por el simple objeto,
Pulso del animal,
Vocablos, radiaciones, oleajes?

Vive más el mejor.
El tiempo a vida entera
Desemboca, lanzada, fascinada,
Allí donde la sangre
Recorre dominando
La cúspide que exige el gran esfuerzo.
Hasta allí mismo asciende todo el hombre,
Allí velando aguarda
Su ambición. ¡Alta vida,
Alta vida en sus riesgos eminentes!
Saltarán las sorpresas.
¡Cuántas conturbarán al valeroso!
Más crecerá desconcertado ardor:
Tanta es la vida que bordea el límite.
Se embrolla mucho el ruido entre los ruidos,
Y nadie puede oír
Los acordes tenaces
Que suenan más abajo.
Se ha interpuesto el dragón o es una gárgola
Que vomita, se ríe.
¡Rebeldes contra el ser!
Disonando, grotescos, niegan, matan.
¡Insufrible ruptura! No haya escape:

Negar la negación
Y vencer a su tropa. Sacrificio.

He aquí los mejores.
Ved al sumo viviente.
Él es quien más afirma.
¿Tal vez sacrificado o victorioso?
Puja y cruje en su estrépito el endriago
Contra la oscuridad que lo cobija,
Contra el verde en frescura junto al agua,
Contra el follaje erguido,
Contra las variaciones
Del viento solitario,
Contra el desfile de una vaguedad
Que a ciegas desplegándose
Protege con sus nubes...
Las nubes que no ve
Quien ahora vigila
Ya sobre su montura,
Y joven, a sabiendas entregado,
Tan cabal entregándose,
Decide su existencia más creada
—Y el destino en suspenso de la noche.
¡Vendrá, vendrá a su puño!

Cúmplase, necesaria, la aventura,
Triunfe la tentación,
Realidad para el héroe.
¡Oh trémulos verdores,

Trémula vida ajena,
—Sin fin sonora el agua despeñada—
Cúmulo de inquietud
Contra el maligno extraño,
Tan extraño al rigor del universo,
Que no perturbará!
Vive la noche en torno a un corazón.
¿Un corazón a solas,
En alianza con las lejanías,
Dependiente del buen amanecer?
Bajo su comba el ámbito
Rodea la figura
Como si la amparase.
¿Dónde la soledad y el abandono
Para quien se levanta,
Más allá de la paz de sus latidos,
A trascender el límite
De la luz compartida?

Un aire amante abarca la espesura.
De aquel oreo por el verde surge
Seguridad de territorio amigo.
En el frescor se acrece una inminencia
De anchuras hacia espacios despejados.
Agua, más agua, siempre sucediéndose,
Persiste en ser tesoro y se derrocha.
Late lo más oscuro con su cielo.
Allá va, prado arriba, disparada,
La vocación de un hombre más que hombre.

LAS HOGUERAS

El amor arde contento,
Arde el viento.

Y la llama, tan ligera
Sonando sobre el tizón,
Siempre en su ser persevera,
Ya es canción.

¡Ese viento
Pintor de su movimiento!
Llamas remueven tinieblas
Donde se alumbran estrellas.

¿Estrellas en caos?
Saraos.

El amor arde contento,
Llamas ondulan, me atraen,
Amor abrazado al viento.

Estrellas.
¡Son llamas
Tan bellas
Las damas!

Mudo y suave el amarillo
Todo lo arrasa.
Con su rojo arrulla el brillo
De la brasa.

Son bellas
Las damas
En llamas.
¡Estrellas!

El amor arde contento
Siempre en un amanecer
De arrebol que abraza un viento.

Arrebol con huellas
De estrellas.

¡Ese viento
Pintor de su movimiento,
Ese arder
A fuerza de amanecer!

Deidad para la mirada,
Con potencia matutina
La llama bien contemplada
Me ilumina.

El amor arde contento,
Arde el viento.

PINO

EL POETA	¿Alzas, pino, tu copa como cáliz O como simple copa, sin empaque canónico?
EL PINO	¡Copa mía, obra mía, Aun no ajena a la sed que en mí la erige! ¡Con qué anhelante aplomo tendió su amanecer A todas las celestes inminencias!
EL POETA	¿Tu verde mediodía es tu secreto?
EL PINO	A la común divinidad imploran Otros también artífices, juntos en el espacio.
EL POETA	¿Ilumina tu sol a la nube en asueto?
EL PINO	No sé si en los ponientes se arrebolan Gradas de paraísos populosos, Plateas arcangélicas. Pero sé, sé la viva plenitud de mi copa. Si el hacha quiebra su cristal inútil, Serán también los míos sus añicos.

AIRE BAILADO

I

Parejas... Y prorrumpen.
Del aire en conmoción emergen
—No de mágica nube—
Los cuerpos de la música,
Y por su gloria alzados y ya ilustres,
Pasan, giran, fugaces.
Tanto el compás se infunde
Que las formas realza:
No hay quien mejor dibuje.
Ese ritmo es ya línea.
¿Las gracias serán leyes?
Parejas, más parejas,
Cautelosas de pronto y sonrientes,
Avanzan a favor de un movimiento
Que por sí mismo ya se desenvuelve,
Muy justo pero aún recién creado.
¡Tiempo! Con las parejas goza enardecido,
Pleno tiempo de carne
Modelada y en vivo,
A través de los sones carne, si tan fugaz,
Perfecta ya aquí mismo,
A lo largo de un tránsito
Que está aquí desvaneciéndose, desvanecido:
Parejas recordadas por espejos
Donde perfil, color, semblante son ya antiguos.

II

Parejas veladoras
En el giro de un sueño,
Tersuras de los hombros
Revelados, escuetos,
Miradas
De consuelo,
Luces de las arañas con su cristalería
Resplandeciente, lejos,
Y pasar y pasar girando
Figura tras figura en elemento
Ya sordo por las salas
Que multiplican los espejos,
Espejos desoladamente exactos
Con la desolación nítida de un desierto:
Parejas que a través de los cristales
Se deslizan, lejanas —y ya espectros.

III

Parejas
En amor,
En amante cadencia,
—¿De una cima
Suspensa?—

Que raudas resbalando
—Sesgos, vueltas—
A perseguir su acorde
Fascinador se entregan.
¿Nostalgia
Con vaguedad? Apenas.
Va arrebatando un aceleramiento
De segura impaciencia,
Ahora por caminos
Que al horizonte de otros días llegan,
Términos por vivir o muy vividos,
Ciudades, coches, fiestas,
Y sin cesar por una encrucijada
Que se cruza y ya se recuerda:
Remota encrucijada ante los ojos
Creándose una niebla, perdiéndose en su niebla.

IV

Parejas.
Y se paran. ¡Cesó el compás! Y vuelven
Hacia su centro firme de planeta:
La verdad de esta sala,
De este piso de cera
Donde los cuerpos laxos, los semblantes felices
Tiernamente se aceptan
En la carne tan viva, tan mortal
De una mera presencia.

QUIERO DORMIR

Más fuerte, más claro, más puro,
Seré quien fuí.
Venga la dulce invasión del olvido.
Quiero dormir.

¡Si me olvidase de mí, si fuese un árbol
Tranquilo,
Ramas que tienden silencio,
Tronco benigno!

La gran oscuridad ya maternal,
Poco a poco profunda,
Cobije este cuerpo que al alma
—Una pausa— renuncia.

Salga ya del mundo infinito,
De sus accidentes,
Y al final del reposo estrellado
Seré el que amanece.

Abandonándome a la cómplice
Barca
Llegaré por mis ondas y nieblas
Al alba.

No quiero soñar con fantasmas inútiles,
No quiero caverna.
Que el gran espacio sin luna
Me aísle y defienda.

Goce yo así de tanta armonía
Gracias a la ignorancia
De este ser tan seguro que se finge
Su nada.

Noche con su tiniebla, soledad con su paz,
Todo favorece
Mi delicia de anulación
Inminente.

¡Anulación, oh paraíso
Murmurado,
Dormir, dormir y sólo ser
Y muy despacio!

Oscuréceme y bórrame,
Santo sueño,
Mientras me guarda y vela bajo su potestad
El firmamento.

Con sus gravitaciones más umbrías
Reténgame la tierra,
Húndase mi ser en mi ser:
Duerma, duerma.

AMISTAD DE LA NOCHE

Luz por la sombra resbala.
Siempre de la luz que implores
Hay vestigios.
La noche es hoy una sala
Con sus ya humanos primores
Y prodigios.
¡Cuánto mundo nos confía
La süave
Profusión de esos ardores!
Cabe
Muy poco en el sumo día.
No luce bajo su veste
Clara, demasiado clara,
Esa multitud celeste
Que se ampara
Tras la luna y su fulgor.
Nombre a nombre, las estrellas
Resurgen en el conjunto
Vencedor.
Ellas, por sí solas ellas
Son trasunto,
Aunque brillen hoy muy poco,
De la eternidad en acto
Suficiente.

Yo la veo, yo la toco
Sin tortura de la mente
Ni agravación de actitud.
Lo eterno es lo más compacto,
Y hacia mí se precipita
Como alud.
Nada está solo de veras.
En el placer de una cita
Se reúne la ciudad
Luciente con sus afueras,
Aun bajo la soledad
Con que yo todo lo abrigo.
Casi a oscuras
—Con márgenes de aventuras
Para amigo—
O en un haz iluminado,
Todo está a solas conmigo,
Y tan acorde se siente
Dentro de un solo cercado,
Bajo esta luna sin gente,
Que hasta el suelo manifiesta
Su informe ser delicado.
Para el errante dispuesta,
Lunado el fondo sombrío,
Fluye una serenidad
En que hasta el río es más río,
Ya murmullo fiel de huerto.
La luna es una beldad.
Contemplad

Su semblante: no está yerto.
Ahora se nos convierte
—La luna no se murió—
En negación de la muerte.
Yo
Divago por ese tibio
Gris azul que me conforta,
— ¡Cuánto alivio
Para la mirada absorta!—
Y acepto la invitación
A reconocer la noche:
Aquel son
Tan recalcado de un grillo,
Los siseos de algún coche
Que se desliza despacio.
¡El implacable organillo
Diminuto desafía
La majestad del espacio
Sin límites con tan terca
Valentía!
Cada vez está más cerca
De mi atención el constante
Cantar que no es un cantar.
El instante
Se resuelve en una voz.
Todo el campo suena al par,
Y hasta el carruaje veloz
Es ráfaga referida
Por el conjunto a su eje.

Con las sombras en que anida
Tanta relación se teje
La rotunda red total,
Donde queda
Mi noche tan dominada
Que ya nada
Muy nocturno entona mal.
La luna da a la alameda
Claros
Henchidos de firmamento.
Leve,
No le espantan ni los faros
Que alumbran su propio viento.
¡Noche en amistad! Conmueve
La gracia de tantos cruces.
¿Aquellos astros? Son estas
Luces:
Hacia nosotros, modestas
A diario.
¡Con qué tímido esplendor
Se aviene ese extraordinario
Descendimiento a la escala
Fatal del contemplador!
Luz por la sombra resbala.
Siempre de la luz que implores
Hay vestigios.
La noche es hoy una sala
Con sus ya humanos primores
Y prodigios.

5

PLENO SER

¿Quién tuvo dichas heroicas
Que entre sí no diga...

CALDERÓN

I

MUNDO EN CLARO

Eres tú quien florece y resucita.
ANTONIO MACHADO

I

¡Ah!
De pronto, sin querer,
Heme aquí. ¡No soy fantasma!
Hallándome voy en una
Vaguedad que se declara,
Una especie de indolencia
Donde estoy. ¡Yo! Pulpa cálida
A oscuras se apelotona.
Del silencio se levantan
Murmullos: silencio. . . mío.
Entre nieblas, entre sábanas
Permanece elemental
Una convicción. Se entraña
Mi ser en mi ser. Yo soy.
Yo, yo: somnolencia grata.
¡Cuánta dulzura en seguir,
En perseverar! El alma,
Veladora, siempre erguida
Sobre el sueño, me acompaña
Sin presentarse a través
De mi olvido. ¡Bien!
Lejana

Bajo el último sopor
Aun lejano, la mirada
Columbra, recuerda. ¡Bulto
Soñoliento! Sí, descansa,
Como siempre. Perfección
De la vida cotidiana:
Aquí estás. Sin voluntad,
Yacente —de tan salvada,
Abandonas tu candor
Indefenso a la campaña
Nocturna de las estrellas,
Pendientes sobre la almohada.
Estas horas que no saben
De tu dormir, solitarias,
Mas tan dulcemente adictas
A tu reposo, te alzan
A un nivel tan serenado,
Tan firme, de tal bonanza
Que entre lo oscuro y las cosas
Pone amor.
Y se congracia
La respiración —hay paz
Tuya en la noche estrellada—
Con el latido del orbe,
A quien sin embargo alcanza
La soledad vigilante,
Pacificadora, sabia.
Tu pulso, mientras, insiste,
A los astros acompasa.

Por las sienes, por el pecho
De continuo palpitada,
Una paciencia animal
Se infunde en lo oscuro. ¡Calma!
Al corazón no le oigo.
Pero toda mi esperanza
Cae bajo el poderío
De ese tictac, que no para
De fundir lo más real
Con su compás, con su magia.
¡Sueño activo, qué de estrellas
Siempre en torno desveladas!

II

Lo oscuro pierde espesor.
Triunfa el cristal. La ventana
Va ensanchando hasta el confín
Posible la madrugada,
Flotante en una indolencia
Que no es mía. Todo vaga.
Una indecisión de nube
Forma un conato de estancia.
Entre jirones de muebles,
A los espejos aguardan
Los volúmenes confusos:
Caos dentro de una casa,
Pero con mucha inocencia

Caótica.
¡Leve el alba!
Aunque gravite con fe,
—La fe en un mundo de gracia,
Regalado— todo pesa
Ligeramente. Ya baja
La luz a señorear
Hasta las sombras dejadas
A los sueños. No hay ventura
Mayor que esta concordancia
Del ser con el ser. Ahora
Ni alumbra gozo. ¡Se arraiga
La vida con tal raíz
Dentro de su necesaria
Profundidad! Sin cesar
Asombra la simple marcha
Del tiempo, de este minuto
Que por el presente pasa
Resonando, fácil. Es
La incógnita soberana.
¡Tictac!
¡Tictac! Y comienzas
A sentir la mescolanza
De mi vigilia y tu fondo
Grave. ¿Duermes? ¡Cómo enlazas
Y remontas el borrón
De esa intemperie a la talla
De este concierto final
Que a los dormidos ampara!

¿Duermes? Memoria en relieve
Va aflorando por la máscara
De soñar, que poco a poco
Se va convirtiendo en cara.
¿No están ya los entresueños
Enredándose en la trama
De grises, blancos y azules
Que por la atmósfera llaman?
Quiebra el albor.
                    Y la aurora
Difunde una llamarada.
Amarilla se deslíe
Por entre el carmín y el grana.
Con resplandor y rumor,
Invasores, avasalla
Siempre el día. ¡Qué temprano
Suena a calles estrenadas
Otra vez! Vuelve a vivir,
A esperar la luz humana,
Enamoradiza ya
Por balcones y fachadas.

III

Y en un arranque, por fin,
—Beata elección, beata
Querencia— tiendes los brazos.
Es de verdad la mañana

Que se cumple, que termina
De amanecer, entregada.
Así, con exactitud
De cuerpos celestes, hacia
Mí tus brazos ya solares
Se dirigen.
                Y la fábrica
De nuestro día en el centro
De la claridad resalta.
El caos fué, no será.
A todos nos arrebata
Con su fuerza de invasión,
De maravilla esta máquina
Del mundo. ¡Sin maravilla
Mínima no apunta nada!
Cierto: llega a ser discreta.
Follajes hay que resguardan
Por entre el ruido y el fárrago
Silenciosas enramadas.
Todavía en el silencio
Perduran nuestras palabras
De mayor fe. ¿Las adviertes
Bajo el ímpetu del ansia
Por amar, cantar, saltar?
Ante la clara jornada
Tan vivo está lo vivido
Que al futuro se abalanza.
Y con abandono apenas
Iluminado —pestañas

Perezosas que no barren
Su penumbra rezagada—
El abrazo nuevamente
Gozoso al mundo nos ata.
¿No adivinas entre círculos
Favorables las distancias?
Todo un mundo redondea
Con sus cielos y sus ráfagas
Este refugio de sol
Íntimo, que no se apaga
Nunca para nuestros ojos.
¡Claridades entrañadas!
Sólo amor responde a mundo.
Aunque afine su maraña,
No luce el mal. ¡Laberinto
De callejas! Mundo es plaza:
Plaza con sol donde el viento,
Soleado, se remansa.
¡De día!
Vuelve a su luz
Inmortal, a esta diaria
Tensión de amor el prodigio
Del mundo. Amor: escala,
Única tal vez, a vida
Sin término —si no engaña
La promesa irresistible
De tanta luz aliada
Cuando los brazos se juntan
En una gloria inmediata.

CAMINANTE DE PUERTO, NOCHE SIN LUNA

Para Juan y para Andrés

Suenan pasos. Uno a uno
Firmes, y son ya las doce,
Por un camino de puerto
Suenan los pasos de un hombre.
Sin cesar van conquistando
La firmeza que se esconde
Bajo el curso de las sombras:
Ruta para quien se opone
—Con todo el tesón que exige
Tal compás, y con un porte
De seguro varonil
Y probablemente joven—
A la incógnita apariencia
Nocturna extendida sobre
La profundidad del mundo.
¿Mundo hostil?
                No hay ya ni nombres
Que a los objetos latentes
En su armonía coloquen.
Pero lo oscuro revela,
Sumiso a los pies, un orden

Que en sonora sucesión
Declara su base inmóvil.
¡Cuántos pájaros ya quietos
A las tinieblas imponen
Soledad! Al caminante
No acompañan ni los robles,
Que acumulando foscura
Reducen su fronda a moles.
Hacinamientos de peñas,
En el tumulto mayores,
Quieren conseguir empuje
Que a la soledad conforte,
Recelosa. Por fortuna,
Entre los vagos temores
Arrecia un rumor. El río
Con raudal de arroyo corre
Todavía por pendientes,
Que a las aguas más veloces
Coronarán con espumas
Dichosas de choque en choque.
Oscuridad es murmullo.
Hay recónditos cantores
Que a favor de aquel desvelo
Llegan a cantar. Son voces
O casi voces allí
No se sabe cómo acordes.
Sin perder apartamiento
En un coro se recogen.
¡Cerco anhelante de paz!

Sin luna, los nubarrones
Apenas manchan un cielo
Consagrado a sus ardores,
Verdes o azules de tanto
Refulgir. ¡Constelaciones
Para una mirada bien
Juntas!
        Mientras ¡ay! proponen
Las sombras al caminante
Su espacio sin horizonte.
¡Qué desconocido todo,
O casi todo, qué doble
Sin duda la trasparencia
De tantos alrededores
Que son aire y por el aire
Guardan o rinden sus dones
Siempre de incógnito, siempre
De una esencia veladores!
Esfuerzos afrontan fondos
Misteriosamente indóciles.
¿Azar?
        Una inmensidad
Hospitalaria lo acoge
Todo en la más rica red
De rumbos y relaciones.
¡Inagotable secreto!
Ni el sol consuma su goce.
No importa. Basta que un alma
Vele. ¡Cuánto mundo entonces!

El mundo está rodeando
Con sus fuerzas —aunque enorme
Por todas partes se aleje—
Los caminos de aquel monte,
Hoja tras hoja en el viento
Los follajes de aquel bosque,
Y unos tras otros los pasos
Aquellos. ¿Nadie los oye?
Nadie los oye. Tal vez
Susurrando algunos sones
Se afanan a solas, gimen.
¡Oh soledades sin dioses!
En multitud las estrellas,
Bellísimas aunque insomnes,
Allá lejos se abandonan
A su perfección: son orbes.
Hacia un silencio común
Gravitan. ¡Nada responde!
Pero... todo está. Conviven
Los astros con los alcores,
Que perdiéndose en lo oscuro
Se han refundido en el bronce
De un solo negror. El puerto
Con su oscuridad socorre,
Y la misma oscuridad
Sobrehumana, sin reproche,
Consuela mucho. ¡Misterio
Soberano, nubes nobles!
Fondos, a oscuras abismos,

A oscuras existen —rocen
O no las accidentales,
Humanas apariciones—
Forma a forma.
                    Bien seguro
Dentro de lo nunca informe,
Se ennegrece todo al fin
En negrores de negrores
Que, tácitos, humildísimos,
Se sostienen borde a borde,
Y sin cesar acompañan
Y llevan —¡quién sabe adónde!—
A las vueltas y revueltas
De los caminos, y al golpe
Ligero de aquellos pasos
Que sin prisa hacia su norte,
Al amparo de ese mundo
Que ni escucha ni conoce,
Van apoyándose, firmes,
En el suelo de la noche.

II

DEL ALBA A LA AURORA

¿Luz de luna? No es la luna
Quien va azulando la calle
Por donde cruzo con ansia
De ver el sol en su trance
De regreso al horizonte
Mismo de nuestras verdades.
Lo azul va en grises y blancos
De neblina relajándose
Mientras el mudo abandono
De mansiones y follajes
Insinúa un interregno
Cándido. Callan las aves,
Pero los grillos nocturnos
Suenan como si velasen.
Se difunde expectación
Y, sin embargo, no hay nadie
Todavía en los visibles
Espacios más generales.
Filones de oscuridad
Aún resistente yacen
—Bajo focos encendidos
Y cúmulos de ramajes—
Cuando en el cielo preludian
Esas primicias tan ágiles
En cumplir y revelar.

Del otro lado del aire,
Profunda región de gloria,
La Causa de veras ante
Mí saldrá. Quiero sentir
Cómo entre mis brazos nace
Para todos este día.
Si hay portento, no hay alarde:
Llegando está ahora el ser
Que de puro ser invade.
Pero la luz se me anuncia,
No se me entrega, distante
Por entre unas nubes donde
Sus grises van espesándose,
Casi oscurecidos bajo
Relieves a trechos casi
Morados, por fin con vetas
Chamuscadas. Muy bien arden
En torno los amarillos
De unos rayos entre avances
De acción apenas rojiza,
Señal de los inmortales
Fuegos. Estoy aquí para
Que a conciencia me arrebate
De una vez la primordial
Aparición. El instante
Me pide a mí que los ojos
Vean en claro sin éxtasis
El hecho —que sólo el alma
Con fe reconoce. ¡Salve!

LOS AIRES

¡Damas altas, calandrias!

Junten su elevación
Algazara y montaña,
Todavía crecientes
Gracias a la mañana
Trémula del rocío,
Tan cándida y sin tasa
Bajo el cielo inventor
De distancias, de fábulas.

¡Libertad de la luz,
Damas altas, calandrias,
Lo rubio, lo ascendente!

Sean así la traza
Tan simple aún, clarísima,
De las profundas Nadas
Gozosas de los aires,
Con un alma inmediata,
Sí, visible, total
¡Ah! para la mirada
De los siempre amadores.

¡Damas altas, calandrias!

PLAZA MAYOR

Calles me conducen, calles.
¿Adónde me llevarán?

A otras esquinas suceden
Otras como si el azar
Fuese un alarife sabio
Que edificara al compás
De un caos infuso dentro
De esta plena realidad.

Calles, atrios, costanillas
Por donde los siglos van
Entre hierros y cristales,
Entre más piedra y más cal.

Decid, muros de altivez,
Tapias de serenidad,
Grises de viento y granito,
Ocres de sol y de pan:
¿Adónde aún, hacia dónde
Con los siglos tanto andar?

De pronto, cuatro son uno.
Victoria: bella unidad.

EL APARECIDO

Se me escapa de los brazos
El mar —incógnito, díscolo.

Tropieza el arco impaciente
De la espuma con silbidos
Que entre las aguas y el sol
Esparcen escalofríos.
¡Estremecerse, pasar
Junto a los más escondidos
Alejamientos de flor
Huída y en desvarío!
    Un balón de pronto cae
    Desde un triunfo a un laberinto.

Se insinúan torpes, bruscas
Pululan formas de ídolos
Recónditos. ¡Irrupciones,
Desperezos entre giros!
Tentáculos en proyecto
De animales indecisos
Desenvuelven y revuelven
Su ceguera. ¡Sombras, rizos,

Eses de móviles algas,
Los murmullos en añicos!

Aquí se ve a los relámpagos
Que en zigzag definitivo
Viven, red de nervaduras
Lívidas, dentro del frío.

Desnudez... Y acaba el tránsito
De lo que tiembla a lo límpido
Sobre un silencio: nivel
A la tersura sumiso.

¡Tersura en acción! Un plano
Quiere un más allá ofrecido
Sin cesar, irresistible:
Allanamientos, caminos.
    Hay sospechas de coral
    En fragmentos vespertinos.

¡Arrojarse fascinado
Con ansia de precipicio
Para tajante emerger
Con felicidad de filo!

Y se abalanzan los brazos
Y las piernas hacia un ritmo
Que domine a un tiempo y alce
Los repentes fugitivos.

¡Vigor de una confluencia!
Todo en cifra y ya cumplido.
Yo quiero sólo flotar,
Aparecer, un respiro.

¡Aparecer en el ser
Y ser entre dos olvidos!
Asombro: ser un instante
—Si conseguido ya extinto,
Pero fatal y sin meta—
Lo eterno en su poderío
Más revelado, más real,
Más ajeno a mi delirio,
Pero dentro de él, colmándolo,
Lanzándolo hacia su estío.

Asombro de ser: cantar,
Cantar, cantar sin designio.
¡Mármara, mar, maramar,
Confluyan los estribillos!
    Los azules se barajan,
    Cielos comunicativos.
Siento en la piel, en la sangre
—Fluye todo el mar conmigo—
Una confabulación
Indomable de prodigios.

¡Mármara, mar, maramar,
Y ser y flotar —y un grito!

MUCHACHAS

Presentando la colina
Se esparce una mocedad
—Más rubia en su regocijo—
Que se escapa, que se va
Por entre un verdor y un sol
De fuentes.
            ¡Fuentes! Atrás
Vencido en figura un fresno,
Se asoma a una intimidad
De prado en flor sorprendida
La más Esbelta.
                ¿La más
Esbelta?
        Brotan, se alzan
—Bucles hacia su espiral
Y melenas sobre cuellos
Erguidos con un afán
De tallo aún— creaciones
De Primer Jardín.
                Está
Culminando, fascinando
—Iris de su manantial—
Ese impulso hacia la fábula
Que es de un dios y es realidad.

TIERRA Y TIEMPO

Gran presente: meseta
De siglos donde nace
La luz de los balcones
En olor de paisaje.

Siento aquí mi caudal.
Con el río comparte
Su delicia de marcha.
Cauce, cauce, mi cauce.

(¿Quiénes son esos vagos,
Incógnitos semblantes?
A solas mi silencio
Se entiende con su valle.)

Sé de unas hermosuras
Tan vivas, tan reales
Que sólo aquí me entregan
Su palabra, su clave.

Te aspiro fatalmente
Como tu chopo al aire,
Patria fatal. Yo quiero
Ser, ser de veras. Guárdame.

CUERPO VELOZ

En marcha.
¡Más viento!
Libres,
Sotos, praderías, mieses,
Lomas en ondulación
Continua de muchos verdes,
Arboledas reservadas
A un paraíso inminente
Parten, me siguen, me azuzan
Y tras mi rumbo se tienden
Respirando a bocanadas
Más viento, más viento siempre
Con una acumulación
De claridad impaciente,
Que precipita a más luz
Y en rachas de gloria envuelve
Mientras, nivel sobrehumano,
Los deseos son poderes
A la vista de invasores
Esplendores en un trueque
Final.
¡Ay!
Freno, quietud.
¿Y aquel dominio celeste?

LA VIDA REAL

I

Eres. ¡Ventura en potencia!
Más aún: estás.

(Un brusco
Surtidor impone al viento
Su irresistible exabrupto.)

¡Maravilla de regalo:
Ser y aparecer —pedrusco,
Hoja en la rama, calandria,
Oreo sobre murmullo,
Amistad por alameda,
La perspectiva de Junio!

(Para mí, para mi asombro,
Todo es más que yo.
¡Barullo
Magnífico!
Si lo miras
Con amor, llega a ser mundo.)

Algo posible, latente,
Flotante, quizá nocturno,

—¡Entre la luna y la nada
Cuántas ondas, cuántos rumbos!—
Algo que prende, por fin,
En un azar testarudo
Mas libremente imprevisto
—¡Estupor!— salta de súbito
Con fuerza tan decisiva
Que se yergue hasta su turno
Máximo: ser realidad,
Y dentro de eso tan rudo
Que es el prodigio mayor:
El universo.

(—¡Qué lujo,
Ay, de trasfiguraciones!
—¿Y qué? ¡Si el mismo sepulcro
Mantiene lo incorruptible,
Eterniza el ser, fecundo
Sin fin!)

Mas no basta ser.
Solo, todavía oscuro,
¿Quién no busca en la presencia
Su iluminación, su orgullo?

¡Oh forma presente, suma
Realidad! Contigo triunfo.
Contigo logro soñar
El sueño mejor, el último.

II

Apareces.

Y en el acto,
Aun por el aire el saludo,
Me arrastras a tu destino,
Ya sensible para el curso
De mi fatal embeleso,
Fatal apenas encumbro
La mirada hacia la altura
Que habita el amor. ¡Conjunto
Real, universo en acción,
En seducción! No, no dudo.
No necesito nostalgia
Que a favor de algún crepúsculo
Desparrame como niebla
La hermosura que yo busco.
En tu claridad te adoro
Con adoración que es júbilo
Desencadenado por
Tu simple existir.

¡Oh pulso!
Te quiero así: misteriosa
De tan inmediata. ¡Puros
Contornos!

Perdura aún
El enigma de un dibujo
Que rinde a su sencillez
Materiales tan confusos.
¿Quién, tú?

Para mí, la exacta
Determinación del mucho
Soñar y el mucho esperar
Con fe lo tan absoluto:
Una absoluta existencia
Situada en el abrupto
Más allá, por donde yo
Jubilosamente irrumpo
Mientras con su acoso y cerco
Nos sostiene. ¡Qué de tumbos
Y retumbos, indomable
Vendaval! Dure el tumulto.
Así te quiero: clarísima.
¿Ves? En la verdad consumo
Todo mi ardor. Embriaga
La luz.
Soñémonos juntos.

ÁRBOLES CON VIENTO

El viento hermosea aquel
Follaje, quizá de un haya,
Aquel otro en un vaivén
Muy leve, quizá de roble.
Más hermosura a través
De esta atmósfera de calle
Se eleva aceptando a quien
Lo domina todo. ¡Viento!
Por esas frondas ya es
Una marea que ondula
Con verdes ahora bien
Soleados, aun más límpidos
Y frágiles a merced
De las hojas que no paran:
Álamo siempre recién
Erguido, recién excelso.
¡Árboles! Y más poder
Les da el tiempo, que al pasar
Atesora una vejez
Por encima de los hombres,
Tan humildes a sus pies.

LAS DOCE EN EL RELOJ

Dije: ¡Todo ya pleno!
Un álamo vibró.
Las hojas plateadas
Sonaron con amor.
Los verdes eran grises,
El amor era sol.
Entonces, mediodía,
Un pájaro sumió
Su cantar en el viento
Con tal adoración
Que se sintió cantada
Bajo el viento la flor
Crecida entre las mieses,
Más altas. Era yo,
Centro en aquel instante
De tanto alrededor,
Quien lo veía todo
Completo para un dios.
Dije: Todo, completo.
¡Las doce en el reloj!

EL CIELO QUE ES AZUL

FESTIVIDAD

La acumulación triunfal
En la mañana festiva
Hinche de celeste azul
La blancura de la brisa.
¡Florestas, giros, suspiros
En islas a la deriva!
Pies desnudos trazan vados
Entre todas las orillas
Que Junio fomenta, verdes,
Liberales y garridas.
Y los aros de los niños
Fatalmente multiplican
Ondas de gracia sobrante,
Para dioses todavía.
¡Tanta claridad levantan
Las horas de arena fina!
Los enamorados buscan,
Buscan una maravilla.
¡Qué bien por el río bogan!
¡Al mar! Ya el mar los hechiza.
Pero los cielos difusos
Luces agudas enviscan.
Caballos corren, caballos

Perseguidos por las dichas.
¡Vientos esbeltos! Sus ángeles,
Que un frescor de costa guía,
Aman a muchachas blancas,
Blancas, ¡pleamar divina!
Pleamar también del mar,
Corvo de animal delicia:
Obstinación de querencia,
Turnos de monotonía,
Pero en ápice de crisis
Que tiende choques en chispas
Al azul, aunque celeste,
Vivacísimo en la brisa.
¡Júbilo, júbilo, júbilo!
Y rinde todas sus cimas
—Fuerza de festividad—
Todo el resplandor del día.

REDONDEZ

Restituído a su altura
Más cóncava, más unida,
Sin conversiones de nubes
Ni flotación de calina,
El firmamento derrama,
Ya invasor, una energía
Que llega de puro azul

Hasta las manos ariscas.
Tiende el puro azul, el duro,
Su redondez, ¡Bien cobija!
Y cabecean los chopos
En un islote de brisa
Que va infundiendo a la hoja
Movilidad, compañía,
Situadas, penetradas
Por el mismo azul de arriba.
Azul que es poder, azul
Abarcador de la vida,
Sacro azul irresistible:
Fatalidad de armonía.

ARDOR

Ardor. Cornetines suenan,
Tercos, y en las sombras chispas
Estallan. Huele a un metal
Envolvente. Moles. Vibran
Extramuros despoblados
En torno a casas henchidas
De reclusión y de siesta.
En sí la luz se encarniza.
¿Para quién el sol? Se juntan
Los sueños de las avispas.
¿Quedará el ardor a solas

Con la tarde? Paz vacía,
Cielo abandonado al cielo,
Sin un testigo, sin línea.
Pero sobre un redondel
Cae de repente y se fija,
Redonda, compacta, muda,
La expectación. Ni respira.
¡Qué despejado lo azul,
Qué gravitación tranquila!
Y en el silencio se cierne
La unanimidad del día,
Que ante el toro estupefacto
Se reconcentra amarilla.
Ardor: reconcentración
De espíritus en sus dichas.
Bajo Agosto van los seres
Profundizándose en minas.
¡Calientes minas del ser,
Calientes de ser! Se ahincan,
Se obstinan profundamente
Masas en bloques. ¡Canícula
De bloques iluminados,
Plenarios, para más vida!
—Todo en el ardor va a ser,
Amor, lo que más sería.
¡Ser más, ser lo más y ahora,
Alzarme a la maravilla
Tan mía, que está aquí ya,
Que me rige! La luz guía.

NIVEL DEL MAR

LA SALIDA

¡Salir por fin, salir
A glorias, a rocíos,
—Certera ya la espera,
Ya fatales los ímpetus—
Resbalar sobre el fresco
Dorado del estío
—¡Gracias!— hasta oponer
A las ondas el tino
Gozoso de los músculos
Súbitos del instinto,
Lanzar, lanzar sin miedo
Los lujos y los gritos
A través de la aurora
Central de un paraíso,
Ahogarse en plenitud
Y renacer clarísimo,
—Rachas de espacios vírgenes,
Acordes inauditos—
Feliz, veloz, astral,
Ligero y sin amigo!

PLAYA

(NIÑOS)

Este sol de la arena
Guía manos de niños,
Las manos que a las conchas
Salven de los peligros.
Conchas bajo la arena
Tienden hacia los niños,
Niños que ya hacia el sol...
Pero el sol rectilíneo
Viene. Los rayos, vastos
Arriba, tan continuos
De masa, deslizándose
Llegan —aunque sus visos,
Sin cesar rebotando
De ahincos en ahincos
De ondas, se desbanden.
Aquí, por fin, tendidos
Se rinden a las manos
Más pequeñas. ¡Oh vínculos
Rubios! Y conchas, conchas.
¡Acorde, cierre, círculo!

ARENA

Retumbos. La resaca
Se desgarra en crujidos
Pedregosos. Retumbos.
Un retroceso arisco
Se derrumba, se arrastra.
¡Molicie en quiebra, guijos
En pedrea, tesón
En contra! De improviso,
¡Alto!
        ¿Paz?
                Y una ola
Pequeña cae sin ruido
Sobre la arena, suave
De silencio. ¡Qué alivio,
Qué sosiego! ¡Silencio
De siempre, siempre antiguo!
Porque Dios, sin edad,
Tiene ante sí los siglos.
Sobre la arena duran
Calladamente limpios.
Retumbe el mar, no importa.
¡El silencio allí mismo!

PLAYA

(INDIOS)

Conchas crujientes, conchas,
Conchas del Paraíso...
Las descubren, perdidas
Para los dioses, indios.
Entre arenas los llaman
Tornasoles amigos.
¡Cómo fulgen y crujen
Conchas, arenas, indios,
Todos a una, voces
Ondeadas con visos!
En ondas van y crecen
Apogeos, dominios
Y la fascinación
Triunfante de los indios.
¡Oh triunfos! Y se comban
En un vaivén. ¡Oh tino!
De la prisa al primor,
Del primor al peligro.
Y lanzan vivas, vivas
Refulgentes, los indios.

OLEAJE

Pulsación de lo azul:
Desnudez en activo.
Un aleteo blanco
Se vislumbra, latido
De frescor en relumbre,
Por entre arranques vivos
—Sí, gozan— a compás
De un pulso. No hay abismo.
¡Cuánto sol, sol y yo!
¡Nuestro el poder, qué brincos!
Alegrías de peces
Saltan sobre los riscos
—¡Soy, soy, soy!— de una crisis
De cima en vocerío.
Cárdenos ya, los verdes
Se atropellan. ¡Perdidos
Los aleteos! Fugas
Ya planas.
¿El abismo
Tal vez?
Vuelve la espuma:
Rotación de dominio.

LA ISLA

ENCANTO

La tarde que te rodea,
Bellísima, rigurosa,
Dispone a tu alrededor
Penumbra, silencio, fronda.

¡Cuánta lontananza para
Quien al amor se remonta!

Aunque en la ciudad persista
Flotando una batahola
De rumor enardecido,
El verde al silencio adora.

¡Qué apartamiento de valle,
Qué palpitación de corza!

Fatal la dicha, completa,
No puede no ser. Ahora
Todo a punto exactamente,
Paso a paso, ya se logra.

¡Respirar es entender,

Cuánta evidencia en la atmósfera!

Cumbre de tiempo, el instante
Se resuelve en una obra
Que ante nosotros, humildes,
Llega a perfección, se posa.

¡Junio en torno, para mí
Contigo, tú le coronas!

Déjame que espere aún,
Que mi pensamiento absorba,
Mientras a ti me abandono,
Lo profundo de tu aroma.

¡Te quiero así, desnudez,
Rendidamente remota!

Déjame que todavía
Te sueñe como una ópera
Que de pronto se encendiera
Para mí, deslumbradora,
Mágica ante mi embeleso,
Y aunque tan real, tan próxima,
Entre sus luces se alzara
Siempre inaccesible: diosa.

(¡Tu más divina hermosura
Canta en secreto victoria!)

INVOCACIÓN

Sabes callar. Me sonríe,
Amor, desnuda tu boca.

Una espera —como un alma
Que desenvuelve su forma—
Sobre los labios ondula,
Se determina, se aploma.
        Yo quiero profundizar,
        Profundizar —imperiosa,
        Encarnizada ternura—
        En tu frescor, en sus conchas.

Con el beso, bajo el beso
Te busco, te imploro toda,
Esencial, feliz, desnuda,
Radiante, consoladora.
        Consuelo hasta el más recóndito
        Desamparo de la sombra,
        Consuelo por plenitud
        Que a la eternidad afronta.

Sabes callar. Me sonríe,
Amor, desnuda tu boca.

JÚBILO

¿Por qué no?

Y multiplicas
De súbito, categórica
Dulcemente, los secretos
Atesorados.

(Corola
Bien repartida en relieves
Suavísimos por las ondas
De carnación que tornean
La apretura de la rosa.)

¡Ese henchimiento jamás
Exaltado hacia la sola
Blancura, tan sonreída
Por el aire entre las hojas!

Yo quiero perderme en torno
De esa línea que trasforma
Su rodeo en una gracia
Cada vez más poderosa.

No, nunca me cansaré

De recorrer esas combas
De continua persuasión.
¡Declives de alguna aurora
Que ha quedado ahí tendiéndose,
Durmiéndose a la redonda
De tu desnudez! Amor
Insiste.

(No se demora
Demasiado la caricia.
Está en creación, ya es otra.)

Cortés, a su vez, el pecho
Convierte en favor su gloria,
Tan considerada bajo
Veladura y ceremonia.

(¿Y el rostro? Lejos, aún
En la luz usual, se borra.)

Clarísimo, lo desnudo
Me da claridad. Se asoma
La atención a una constante
Reserva armonizadora,
Sometida al poderío
Cándido de la persona,
Bellamente demostrada.

Cuerpo es alma y todo es boda.

SIERPE

Sigue, sigue, sigue, sigue
Sin cesar en movimiento,
Girando la Tierra humilde,
Con manantiales y bosques
Ondulando entre confines
Rendidos a la victoria
De ese empuje irresistible
Que, bajo un cielo en faena,
Vibra de cumbre a declive,
Desde el sol de las espumas
Va hasta el retiro del mimbre,
Chispea sobre las guijas,
Por el agua se deslíe,
Extiende plano el silencio,
Riza su zumbido al cínife,
Sin que haya un solo reposo
Que al tránsito no se incline
Mientras, discordes o acordes,
Avisan todos los timbres
Y el movimiento infinito
Sigue, sigue, sigue, sigue,

(*Vuelta*)

MESETA

¡Espacio! Se difunde
Sobre un nivel de cima.
Cima y planicie juntas
Se acrecen —luz— y vibran.
¡Alta luz, altitud
De claridad activa!
Muchedumbre de trigos
En un rumor terminan,
Trigo aún y ya viento.
Silban en la alegría
Del viento las distancias.
Soplo total palpita.
Horizontes en círculo
Se abren. ¡Cuántas pistas
De claridad, tan altas
Sobre el nivel del día,
Zumban! ¡Oh vibración
Universal de cima,
Tránsito universal!
Cima y cielo desfilan.

SU PERSONA

I

¡Doliente ausencia!
Rozando
La nada, sombras en vela
Gimen a mi alrededor,
Y su gemido es mi queja.
Estorba la soledad.
¡Ay, cómo se desesperan
Hasta los mismos espectros
De no ser más que una ausencia,
Que un recuerdo: corroída
Realidad en polvareda,
Humo a capricho del aire,
Palidez ya sin materia,
Demacración ya sin rostro!
No vale —no cae en tierra—
El tictac de ese reloj.
Girando en torno a mi siesta,
Una actualidad fingida
Me somete a su potencia
De burla. Tan cruel es
Que de aquel amor me entrega
Todo menos ¡ay! su punto
De realidad, su más cierta

Plenitud irremplazable:
El encanto de una fuerza
Jamás por nadie soñada,
Inocentemente exenta
De mis sombras, bajo un sol
Común situada fuera.
El sol no da en tu recuerdo.
Sufro.
        La memoria es pena.

II

A veces —¿por qué, memoria,
Te apiadas?— en una tregua
Vuelve al corazón el gozo
De aquellas tardes más lentas.

Por ventura alguna imagen
Da serenidad. Y mientras,
Dulcemente se remonta,
Se me escapa. Ya es leyenda.

Apunta una tentativa
De carnación. Y muy tierna,
A lo lejos ofreciéndose,
¡Qué tentaciones me niega!

Lo inasequible a los ojos
Con tal arte se revela
Que envuelve en un falso estío
Para sofocar de veras.

Mas todos esos fantasmas
¿Dónde están? Amarillea,
Inmóvil, la expectación
Yacente sobre la arena.

III

Basta ya.
¿Para qué tanto
Soliloquio? Siempre a ciegas,
Corrompe tanto soñar.
Vivir es gracia concreta.
Su imagen, no. ¡Su persona,
Su persona! Me avergüenza,
A rastras de mi ilusión,
Este escándalo de niebla.
(La tarde es limpia.) ¡Deleite
Ficticio que casi empieza,
Y sin parecer trascurre!
No, soledad macilenta,
Consunción desconsolada,

No quiero tu abril a medias.
No, no quiero una hermosura
Sin sus dimensiones bellas,
Sin aplomo que me oponga
Su valor, su resistencia.
No quiero que los fantasmas
En fantasma me conviertan,
Reducido a puro soplo,
A porvenir, a problema.
Quiero toda la adorable
Desigualdad imperfecta
De las cosas que así son,
Misteriosamente densas
De sí mismas: su tesoro
Guardan.
¡Quién las mereciera!
¡Quién mereciera su amor:
Volumen, forma, presencia!

RÍO

¡Qué serena va el agua!
Silencios unifica.
Espadas de cristal
A la deriva esquivan
—Lenta espera— sus filos...
El mar las necesita.
Pero un frescor errante
Por el río extravía
Voces enamoradas.
Piden, juran, recitan.
¡Pulso de la corriente!
¡Cómo late: delira!
Bajo las aguas cielos
Íntimos se deslizan.
La corola del aire
Profundo se ilumina.
Van más enamoradas
Las voces. Van, ansían.
Yo quisiera, quisiera...
Todo el río suspira.

ÁLAMOS CON RÍO

Frente al blanco gris del cerro,
A par del río, la ruta
Divisa con ansiedad
Álamos, perfil de lluvia.

Junto a las trémulas hojas
Alguien, solitario nunca,
Habla a solas con el río.
¿Álamos de brisa y musa?

Mansamente el río traza
Su recreo curva a curva
Mientras en leve temblor
Los álamos se dibujan,

Y tan verdes como el río
Follaje a follaje arrullan
Al dichoso de escuchar
Álamos de casi música.

¡Dichoso por la ribera
Quien sigue al río que aguza
La compañía en el agua,
En los álamos la fuga!

CALLEJEO

No sabe adónde va.
Ni le orienta la nube
Próxima que en el cielo
Se aísla, ni conduce
Por sí mismo sus pasos.
Le impulsa la costumbre
De pisar y avanzar.
Nada tal vez más dulce
Ni de mayor consuelo
Que la tarde de un lunes
Cualquiera paseado
De pronto. No trascurre
La hora. Permanece
Con todo su volumen
Bajo la mano aquel
Tiempo sin norte, dúctil,
Propicio a revelar
Algo impar en el cruce
De unas calles. ¡Perderse,
Hacerse muchedumbre!

PLENO AMOR

I

¿Amor envuelve en las formas
De un viento? Se trasfigura
Bajo un viento nuestro abrazo:
Concentrándose está en lucha.
Triunfo habrá para los dos,
Gocémonos. ¡Oh, no hay burla
Contra la fe ya animal
De toda la criatura!
Desaparece la estancia.
Una luz de anhelo y súplica
Crea un ámbito al amor
Con muros de sombras juntas.
Infinita, sí, trascurre
La noche. Pero se ajusta
—Con la precisión de un mundo
Soñado por la absoluta
Claridad— a este clarísimo
Destino: nuestra ventura.
Y la ventura despacio
Va confiándose —nunca
Más estrellas en el cielo—
A una pesadumbre suya.
Mientras, —la carne es también
Alma, reina tu blancura—

Un ritmo acoge y acrece
La obstinación —¡qué profunda
Masa tanta noche en vela!—
De esta casi calentura,
De este buen ardor.
                                        Palpitan,
Humildemente nocturnas,
Las estrellas como si
Regalasen una luna
De paz.
        Paz en la verdad.

II

¡En la verdad!
                    Y se anuncia
Lo más fabuloso. ¿Tumba
Para una resurrección,
Para llegar a ser pluma
Casi indistinta del aire,
Aire sobre el mar, espuma
Que fuese nube en un cielo
Con voz de mar?
                    No hay más ruta
Que este más allá mortal:
Vértigo de una dulzura

Que de más vida en más vida
Se atropella, se derrumba,
—¡Llega a tal embriaguez
El ser que desde su altura
Conspira al derrumbamiento!—
Y va a la noche desnuda
Con un ansia de catástrofe,
O de postrer paz, en fuga
Final ¿hacia qué reposos,
Qué aplanamientos, qué anchuras?
¿O hacia la aniquilación
Desesperada?
¡Concluya,
Concluya tanta inminencia!
Todo se confía —nunca
Más estrellas en el cielo—
A su pesadumbre muda,
Fatal.
¡Sea!
Fatalmente
Puede más que yo la angustia
Que me entrega a la catástrofe,
—Todo conmigo sucumba—
Que no será... que no es
Una catástrofe —¡brusca
Perfección!— por más que abdique,
Y se desplome y se hunda
—Amor, amor realizado—
El alma en su carne: puras.

NOCHE PLANETARIA

Silencio. ¿De tiniebla?

A estas horas lentísimas
Sólo en la noche queda
Vacío en vibración
Última de existencia
Para quien, sin dormir,
Desde su lecho a ciegas
Siente la oscuridad
Como una polvorienta
Pululación en torno,
Que al oído rodea
De un susurro en el límite
De la noche y su niebla
De realidad, ahora
Más que nunca ligera,
Cuando lo más desierto
Se resuelve en materia
Posible de Infinito,
Y ya casi resuena
Con nada que lo es todo.

Silencio
          de planeta.

ESTA LUNA

¡La luna!

Cuando descubres
Los contornos de lo oscuro,
Hasta la sombra sin nombre
Queda amiga junto al curso
De tu fulgor familiar.
No, no serás el refugio
Que de los cielos resurge
Para el lacrimoso iluso.
Tranquilamente prosigues
Iluminando tu rumbo.
¿Quién revela más desnuda
Su verdad que tú, rotundo
Rostro? Con una sonrisa
Firme, contemplando a muchos
Frente a frente, presidiendo
Redondeas tu nocturno
Señorío. Para todos
Eres el portento justo,
Colmado de aparición
Dulcísima.

¡Plenilunio!

CONTRAPUNTO FINAL

(A dos voces)

Surge el grupo de sonidos.
Parte alegremente exacto.
Por amor a las escalas
El silencio queda abajo.
Sosteniéndose entre todos
Se deslizan confiados
Nuevos grupos que se gozan
En nacer resucitando.
(¡Música en alma disuelta,
Onda hacia piélago vago!)
Grupos hay que multiplican
En regresos a sus campos
Variaciones con sorpresas
Por caminos recordados.
(Se abren los ojos a un mundo
Móvil que flota en su cambio,
Sierras sin fin hacia innúmeras
Nubes de golfos y cabos,
Siempre en el cielo otro mar
Para las cúspides fausto.)
Con limpieza y su alegría
Pasan bajo las dos manos
Los retornos ofrecidos
Al deleite del ya sabio.
Sosteniéndose entre todos

Se deslizan confiados
—Por el centro de una fiesta
Resonante de agasajo—
Nuevos grupos que se gozan
En nacer resucitando.
Y fluctúa nuevamente
Lo futuro de un pasado
Que varía en una vuelta
De misterio aun más lejano.
(Flota, se aclara una nube
Frente al errante sin hado,
Nube feliz que propone
Términos ya necesarios
A la atención del absorto,
Casi perdido y salvado.)
Las escalas, mientras, forman
Ascensiones al más franco
Firmamento de una fuerza
Que nos guía paso a paso.
(Música, música, blanda
Rampa hacia mares sin barcos!)
Sosteniéndose entre todos
Se deslizan confiados
Nuevos grupos que se gozan
En nacer resucitando.
Y así, con una implacable
Solicitud, el acaso
Tan vencido, queda el orden
Supremo ante Dios alzado.

III

EL AIRE

Aire: nada, casi nada,
O con un ser muy secreto,
O sin materia tal vez,
Nada, casi nada: cielo.

Con sigilo se difunde.
Nadie puede ver su cuerpo.
He ahí su misma Idea.
Aire claro, buen silencio.

Hasta el espíritu el aire,
Que es ya brisa, va ascendiendo
Mientras una claridad
Traspasa la brisa al vuelo.

Un frescor de trasparencia
Se desliza como un témpano
De luz que fuese cristal
Adelgazándose en céfiro.

¡Qué celeste levedad,
Un aire apenas terreno,
Apenas una blancura
Donde lo más puro es cierto!

Aire noble que se otorga
Distancias, alejamientos.
Ocultando su belleza
No quiere parecer nuevo.

Aire que respiro a fondo,
De muchos soles muy denso,
Para mi avidez actual
Aire en que respiro tiempo.

Aquellos días de entonces
Vagan ahora disueltos
En este esplendor que impulsa
Lo más leve hacia lo eterno.

Muros ya cerca del campo
Guardan ocres con reflejos
De tardes enternecidas
En los altos del recuerdo.

¡Cómo yerra por la atmósfera
Su dulzura conduciendo
Los pasos y las palabras
Adonde van sin saberlo!

Algo cristalino en vías
Quizá de enamoramiento
Busca en un aura dorada
Sendas para el embeleso.

Respirando, respirando
Tanto a mis anchas entiendo
Que gozo del paraíso
Más embriagador: el nuestro.

Y la vida, sin cesar
Humildemente valiendo,
Callada va por el aire,
Es aire, simple portento.

Vida, vida, nada más
Este soplo que da aliento,
Aliento con una fe:
Sí, lo extraordinario es esto.

Esto: la luz en el aire,
Y con el aire un anhelo.
¡Anhelo de trasparencia,
Sumo bien! Respiro, creo.

Más allá del soliloquio,
Todo mi amor dirigiendo
Se abalanzan los balcones
Al aire del universo.

¡Balcones como vigías
Hasta de los más extremos
Puntos que la tarde ofrece
Posibles, amarillentos!

Mis ojos van abarcando
La ordenación de lo inmenso.
Me la entrega el panorama,
Profundo cristal de espejo.

Entre el chopo y la ribera,
Entre el río y el remero
Sirve, transición de gris,
Un aire que nunca es término.

¡Márgenes de la hermosura!
A través de su despejo,
El tropel de pormenores
No es tropel. ¡Qué bien sujeto!

Profundizando en el aire
No están solos, están dentro
Los jardinillos, las verjas,
Las esquinas, los aleros...

En el contorno del límite
Se complacen los objetos,
Y su propia desnudez
Los redondea: son ellos.

¡Islote primaveral,
Tan verdes los grises! Fresnos,
Aguzando sus ramillas,
Tienden un aire más tierno.

El soto. La fronda. Límpidos,
Son esos huecos aéreos
Quienes mejor me serenan,
Si a contemplarlos acierto.

Feliz el afán, se colma
La tensión de un día pleno.
Volúmenes de follajes
Alzan un solo sosiego.

Torres se doran amigas
De las mieses y los cerros,
Y entre la luz y las piedras
Hay retozos de aleteos.

En bandadas remontándose
Juegan los pájaros. Vedlos.
Todos van, retornan, giran,
Contribuyen al gran juego.

¡Juego tal vez de una fuerza
No muy solemne, tanteo
De formas que sí consiguen
La perfección del momento!

Esta perfección, tan viva
Que se extiende al centelleo
Más distante, me presenta
Como una red cuanto espero.

¡Aquel desgarrón de sol!
Arden nubes y no lejos.
Mientras, sin saber por qué,
Se ilumina mi deseo.

Arbolados horizontes
—Verdor imperecedero—
Dan sus cimas al dominio
Celeste, gloria en efecto.

Gloria de blancos y azules
Purísimos, violentos,
Algazaras de celajes
Que anuncian dioses y fuegos.

La realidad, por de pronto,
Sobrepasa anuncio y sueño
Bajo el aire, por el aire
Ceñido de firmamento.

El aire claro es quien sueña
Mejor. ¡Solar de misterio!
Con su creación el aire
Me cerca. ¡Divino cerco!

A una creación continua
—Soy del aire— me someto.
¡Aire en trasparencia! Sea
Su señorío supremo.

CARA A CARA

> Lo demás es lo otro: viento triste,
> Mientras las hojas huyen en bandadas.
>
> FEDERICO GARCÍA LORCA

I

Verde oscuro amarillento,
Deslumbra un tigre. Fosfórico,
El círculo de agresión
General cierra su coso.

Aun los cielos se barajan
—Múltiples, bárbaros, lóbregos—
Para formar una sola
Sombra de dominio a plomo.

Nublado. Las nubes sitian
A las torres y cimborrios
De la ciudad, de improviso
Campestre. Se aguza un chopo
Bajo un retumbo que lejos
Se extingue, derrumbe sordo.
En el aire cruelmente
Blando se ahuman los troncos,
Y un crepúsculo a deshora
Derrama en el día golfos
De una oscuridad que pide

Luz urgente de socorro.

    Se encienden lámparas íntimas
    Que recogen en sus conos
    De resplandor esos ámbitos
    Amigos de los coloquios.

Hay una desolación
A contra luz, algo anónimo
Que zumba hostil, un difuso
Conflicto de tarde y lodo
—Con su tedio, que no deja
De escarbar. Y de sus hoyos
Emergen desparramándose,
Asfixiando, los enojos
Escondidos, la más fosca
Pululación del bochorno,
El hervidero enemigo
De cuantos dioses invoco.

    En relámpagos se rasgan
    Los cielos hasta esos fondos
    Tan vacíos que iluminan
    Los cárdenos dolorosos.

El agresor general
Va rodeándolo todo.
—Pues... aquí estoy. Yo no cedo.
Nada cederé al demonio.

II

¡Oh doliente muchedumbre
De errores con sus agobios
Innúmeros! Ved. Se asoman,
Míos también, a mi rostro.

Equivalencia final
De los unos y los otros:
Esos cómplices enlaces
De las víctimas y el ogro,

Mientras con su pesadumbre
De masa pesan los lomos
Reunidos del país
Polvoriento, populoso...

Las farsas, las violencias,
Las políticas, los morros
Húmedos del animal
Cínicamente velloso,

Y la confabulación
Que envuelve en el mismo rojo
De una iracundia común
Al paladín con el monstruo...

Esa congoja del alba
Que blanquea el calabozo,
Extenuación de la cal
Sobre los muros monótonos,

A la vista siempre el aire
Tan ancho tras los cerrojos,
Y en la boca —siempre seca—
Tan amargo el soliloquio...

Ese instante de fatiga
Que sueña con el reposo
Que ha de mantener yacentes,
Más allá de bulla y corro,

A los cansados, sin fin
Vacación en los remotos
Jardines favorecidos
Por aquel interno otoño...

¡Imperen mal y dolor!
En mi semblante un sonrojo
De inaptitud se colore.
No cedo, no me abandono.

III

Si las furias de un amor,
Si un paraíso de apóstol
¡Ay! me conducen —en nombre
De algún dios— hasta algún foso,

Si el combate, si el disturbio
Me desmenuzan en trozos
El planeta y se me clavan
Los añicos entre escombros,

Desde el centro del escándalo
Yo sufriré con los rotos.
Y cuando llegue la noche,
Astros habrá tan notorios

Que no fallará a mis plantas
El suelo. Yo me compongo
Para mi soberanía
La paz de un islote propio.

¿Quién podría arrebatarme
Tal libertad? No hay estorbo
Que al fin me anule este goce
Del más salvado tesoro.

IV

Si, cuando me duele el mundo,
En el corazón un pozo
Se me hundiera hacia el abismo
De esa Nada que yo ignoro,

Si los años me tornasen
Crepúsculo de rastrojo,
Si al huir las alegrías
Revolvieran su decoro,

Si los grises de los cerros
Me enfriasen los insomnios
Con sus cenizas de lunas
En horizontes de polvo,

¿Se sentiría vencido,
Apagado aquel rescoldo
De mi afán por las esencias
Y su resplandor en torno?

Heme ante la realidad
Cara a cara. No me escondo,
Sigo en mis trece. Ni cedo
Ni cederé, siempre atónito.

V

Lo sé. Horas volverán
Con su cabeza de toro
Negro asomándose, brusco,
Al camino sin recodo.

Vendrán hasta mi descanso,
Entre tantos repertorios
De melodías, las ondas
En tropeles inarmónicos.

¡Que se quiebre en disonancias
El azar! Creo en un coro
Más sutil, en esa música
Tácita bajo el embrollo.

El acorde —tan mordido,
Intermitente, recóndito—
Sobrevive y suena más.
Yo también a él respondo.

En su entereza constante
Palpo el concierto que sólido
Permanece frente a mí
Con el arco sin adorno.

¿Perdura el desabarajuste?
Algo se calla más hondo.
¿Siempre chirría la Historia?
De los silencios dispongo.

¿Y el inmediato prodigio
Que se me ofrece en su colmo
De evidencia? Yo me dejo
Seducir. — Ten ya mi elogio.

Entre tantos accidentes
Las esencias reconozco,
Profundas hasta su fábula.
Nada más real que el oro.

Así sueño frente a un sol
Que nunca me hallará absorto
Por dentro de algún celaje
Con reservas de biombos.

¿Marfil? Cristal. A ningún
Rico refugio me acojo.
Mi defensa es el cristal
De una ventana que adoro.

VI

¿Mientras, el mal? Fatalmente
Desordenando los modos
Guarde en su puño la cólera,
Contraiga el visaje torvo,
Palpite con los reflejos
Cárdenos de los horóscopos,
Lleve la dicha hasta el ímpetu
Con que yo también acoso...
Necesito que una angustia
Posible cerque mis gozos
Y los mantenga en el día
Realísimo que yo afronto.
Rompa así la realidad
En mis rompientes y escollos,
Circúndeme un oleaje
De veras contradictorio,
Y en el centro me sitúe
De la verdad.
                ¿Alboroto?
Él me procura mi bien.
Difícil, sí, lo ambiciono,
¡Gracias!
            Continua tensión
Va acercándome a un emporio

De formas que ya diviso.
Con ellas avanzo, próspero.
¿Lo demás? No importe.
Siga
Mi libertad al arroyo
Revuelto y dure mi pacto,
A través de los más broncos
Accidentes, con la esencia:
Virtud radiante, negocio
De afirmación, realidad
Inmortal y su alborozo.
Para el hombre es la hermosura.
Con la luz me perfecciono.
Yo soy merced a la hermosa
Revelación: este Globo.
Se redondea una gana
Sin ocasos y me arrojo
Con mi avidez hacia el orbe.
¡Lo mucho para lo poco!
Es el orbe quien convoca.
¡Tanta invitación le oigo!
El alma quiere acallar
Su potencia de sollozo.
No soy nadie, no soy nada,
Pero soy —con unos hombros
Que resisten y sostienen
Mientras se agrandan los ojos
Admirando cómo el mundo
Se tiende fresco al asombro.

DEDICATORIA FINAL

¡Ah de la vida! ¿Nadie me responde?

QUEVEDO

Sumersión en la fuente de la vida,
Recio consuelo!

UNAMUNO

PARA MI AMIGO

PEDRO SALINAS,

AMIGO PERFECTO,
QUE ENTRE TANTAS VICISITUDES,
DURANTE MUCHOS AÑOS,
HA QUERIDO Y SABIDO ILUMINAR
CON SU ATENCIÓN
LA MARCHA DE ESTA OBRA,
SIEMPRE CON RUMBO A ESE LECTOR POSIBLE
QUE SERÁ AMIGO NUESTRO:
HOMBRE COMO NOSOTROS
ÁVIDO
DE COMPARTIR LA VIDA COMO FUENTE,
DE CONSUMAR LA PLENITUD DEL SER
EN LA FIEL PLENITUD DE LAS PALABRAS.

FIN
DE ESTE
CÁNTICO

ÍNDICE

CÁNTICO

FE DE VIDA

1

AL AIRE DE TU VUELO

I

II

III

2

LAS HORAS SITUADAS

3

EL PÁJARO EN LA MANO

I

II

III

IV

V

4

AQUÍ MISMO

5

PLENO SER

I

II

III